新潮文庫

夏の庭

—The Friends—

湯本香樹実著

新潮社版

5197

夏の庭 The Friends

1

六月に入ってから、雨ばかり降っている。今日もしつこい雨。プール開きは明日に延期された。ぼくは窓の外の『オバケ葉っぱ』をぼんやり見ていた。『オバケ葉っぱ』は手のひらのような形をしたかぼちゃみたいにでかい葉っぱを、二階の教室にまでのぞかせている。雨が降るたびにこいつは大きくなる。冬の間はすっかり枯《か》れてなくなってしまうくせに、毎年春になるとよみがえり、やがて夏が近づくころ、こいつはほんとうにお化けのようににょきにょきと伸び出すのだ。

ぼくがこいつをひそかに『オバケ葉っぱ』と名づけたのは、二年生の時だった。そのころ、ぼくの背はどちらかというと小さいほうで、今みたいに『きゅうり』とからかわれることもなかったし、前歯はまだ、今のやたらと大きすぎる大人の歯に生えかわってなんかいなかった。つまり、まだほんのかわいい『お子様』だったわけだ。給食がまずくて食べられないと深刻に悩んだし、ハンドベースをする六年生たちが、すばらしく強く、大きく、おそろしくさえ思えたものだ。

で、そのかわいい二年坊主《ぼうず》だったぼくは、かなりこの新しい存在の発見に夢中になった。

その時の教室は、今の教室の真下だったのだが、ぼくは毎朝、教室に入るとまず、『オバケ葉っぱ』を厳重にチェックした。夜の間、だれも見ていないのをいいことに、じりじりと巨大化する『オバケ葉っぱ』は、暗闇《くらやみ》のなかではきっと、ハロウィンのかぼちゃのように目や口がついているにちがいない。こいつが二階の教室の窓まで達した時に、なにかがおこるんじゃないか……どきどきしながら身を乗りだし、見上げていた二階の教室に今、ぼくはいる。あのころ思っていたように、強くもおそろしくもないけれど、ぼくは六年になった。

『オバケ葉っぱ』の顔を見あきたので、ぼくは教室を見わたした。でぶの山下が学校を休んでもう三日だ。日曜日の塾《じゅく》のテストにも来なかったし、まる四日会っていないことになる。土曜に会った時には、風邪《かぜ》をひいているようすもなかったけれど、どうしたんだろう。

山下の席はぼくの斜《なな》め前。机の中に置いたままのマンガがまる見えだ。先生に見つかったら、没収なのに。あいつはいつもそうだ。なんか抜けてる。

「おい、木山《きやま》」

やばい、あてられた。ぼくはできるだけのろのろと立ち上がった。

「言ってみろ」

「え」

「え、じゃない」

後ろの席の河辺《かわべ》が、ぼくのおしりをつっついた。

「丸い」やつがひそひそ声で教える。

ぼくはそのとおりに言った。「丸い」

「うむ。それで」

「角《かど》がとれている」河辺がまた言った。

「角がとれている」

「よし。丸くて角がとれている。つまり、オレのようだというわけだ」先生は、な？　とぼくの顔を見た。そう言われても困る。

「で、だれのことだ？」

だれのこと？　河辺からの答えは来ない。ぼくはあせった。丸くて角がとれているのはだれだ？

「徳川家康《とくがわいえやす》」

教室中が、どっと笑いにひっくりかえった。

「バッカもん！　今、なんの授業だと思ってる」

「へ？」

「丸くて角のとれてるのは、地層の小石の特徴《とくちょう》だ。ぼんやりするな」

ちくしょう、ハメられたか。ぼくはまだくすくす笑っている教室中の視線を浴びながら、こそこそ座《すわ》った。ちぇっ、だいたい山下がいけないんだ。ぼくは足を伸ばして、山下の椅子《いす》

をちょっと動かして、机の中のマンガがなるべく見えないようにした。河辺が背中をつっつく。

「なんだよ」

「山下、どうして学校休んでるか知ってる」

「どして」

「おばあさんが死んだんだって。いなかのおばあさん」

「へえ」

山下におばあさんがいるなんて、ぜんぜん知らなかった。そりゃあ、だれにでもいるもんだけれど、あいつはおばあさんの話なんかしたことなかったし、いなかがあるなんて聞いたこともなかった。

「お葬式《そうしき》に行ってるんだって、うちのおかあさんが言っていた」

「そっか」

「おまえ、お葬式って行ったことある」

「ない」

「オレも。こないだ、うちのマンションに住んでるおじさんが死んだ時、おかあさんはお通《つ》夜《や》に行ってたけど……」

「行きたいわけ」

「行きたいってわけじゃないけど……いてっ！」

「河辺！　木山！」先生の怒声《どせい》が飛ぶ。

河辺は、ずれたメガネをなおしながら、おでこの真ん中をさすっている。先生のチョークが命中したのだ。

「おまえら何しゃべくってる。そこに立ってろ！」


翌日、山下は学校に出てきた。朝、学校の正門のところで、ぼくはやつの後ろ姿を見つけた。

「よお、でぶ！」

叫んでから、しまったと思った。案のじょう、ふりかえったやつは、なんだか元気がない。いつもはぱちぱちとよくまばたきする小さい目が、なんとなくとろんとして、第一、ぼくが「でぶ！」と大声で呼んだのに、むっとした様子もないのだ。ぼくは、すまない気持ちになった。なんといってもやつは『お葬式』から帰ったばかりなのだから。

ぼくたちは黙って校庭を歩いた。なにか慰《なぐさ》める言葉でも言ったほうがいいのだろうか。でも、なんて言ったらいいんだろう。

「よお、でぶ！　おまえのおばあさん、死んだんだって！」

バーカ。河辺だ。あいつは二階の教室の窓から、落っこちそうなほど身を乗りだして、叫

んでいる。あいつはなにも考えてない。考えたことがない。

でもその時、山下は一瞬おどおどするような表情を見せたけれど、驚いたことに次の瞬間には、「うん、そう、そうなんだ!」と大きな声で答えていたのだ。元気よく。ぼくには山下の気持ちがぜんぜんわからない。なに考えてんだろ。河辺がなにも考えてないことはわかってるけど、死んだのは山下、おまえのおばあさんなんだぜ。「そうなんだ!」はないよ。だけど、ぼくにもよくわからないのはたしかなのだ。ぼくはお葬式に出たことがない。ぼくのおじいさんが死んだのは、ぼくが生まれる前だったたし、とにかくぼくは、だれかが死んだらどんな気持ちになるかなんてこと、ぜんぜん知らないのだ。

あんまり身を乗りだしすぎたせいだ。河辺は命の次に大事なメガネを、窓から落っことして割ってしまった。やつはメガネがないと、一歩も歩けない。教室の扉《とびら》をさがしてうろうろしているところを、杉田と松下にさんざんからかわれたあげくの果てに、とうとう泣きだしてしまった。

河辺がむかえに来たおかあさんに連れられて早退してしまったので、ぼくは山下からお葬式のことを聞くのはやめにしておいた。どう切りだしていいかわからなかったのだ。山下は、一見いつものとおりだった。つまり、体育の時間は、さかあがりが最後までできなかったし、国語の時間には、漢字が読めなかったし、理科の実験ではプレパラートを割った。でも、な

んだか時々、ぼおっとしているような、壁《かべ》の一点をじいっと見つめているようなことがあって、そういえば給食の時、おかわりもしなかった。やつの大好きな焼きそばが出たというのに。

塾《じゅく》が終わると、いつものようにぼくたちは、ケンタッキーフライドチキンで買ったヨーグルトドリンクをストローで吸いながら、暗いバス停のベンチに座《すわ》っていた。てっきり休むと思っていたのに、河辺は塾に現れたのだ。目医者に作ってもらった間に合わせのメガネをかけている。銀色でごつくてまんまるのやつ。ひどい顔だ。目のない宇宙人みたいに見える。

「お葬式、どんなだった」河辺が言った。やっぱり。それが聞きたくてこいつは塾に来たんだ、きっと。

「どんなって」

「おもしろかった?」

「おもしろいわけないじゃない」とぼく。「知らないけど」

「うん」と山下が答えた。「おもしろくなんかないよ。みんな黒い服を着て、お経《きょう》は退屈だし、おじさんたちはお酒ばかり飲んでいるし、おばさんたちはやたらいそがしそうだし。子どもだって、ぼくより小さい子ばっかりでさ、ひとのこと、でぶ、なんて言うんだ」

「オレたちだって言うじゃん」河辺が歯ぐきを見せてさもおかしそうに、いーひっひ、と笑

った。銀色のぶ厚いメガネをかけたやつが、そんなふうに暗いところで笑うと、こわいものがある。

「ぜんぜん知らないやつから、いきなり言われてみろよ」

「ま、そりゃそうだ」河辺も笑うのをやめた。

「お葬式そのものは、ぜんぜんどうということない。だけど」山下はぐっとツバを飲みこんだ。

「人は死ぬと焼かれるんだ。火葬場《かそうば》、というところに運ばれて、お棺《かん》が、大きなかまどのなかにするすると入ってがちゃん！　と扉が閉まる。そうして一時間後には」

「一時間後には」ぼくは身を乗りだした。山下の声がだんだん小さくなってきたので。

「骨《ほね》になるんだ。ぜんぶ焼かれて、骨だけが残る。白くて、ぼろぼろ。すっごくちょっぴりしかなかったよ」

「一時間も焼かれるの」

「うん」

「熱いだろうな。ごーごー燃えるんだろうな」

山下はちょっと考えた。「大きな煙突《えんとつ》から、白い煙が、ほんの少し出てた。電気で焼くから、昔のように煙は出ないとおとうさんが言っていたよ。時間をかけて、じりじり焼かれるんだ」

河辺が貧乏《びんぼう》ゆすりを始めた。悪い徴候《ちょうこう》だ。やつの貧乏ゆすりは、いつ爆発《ばくはつ》するかわからない時限爆弾《じげんばくだん》のスイッチみたいなものなのだ。ぼくのおかあさんは「河辺くんて、エキセントリックね」と言っていた。エキセントリックってなんのことだろ。ちょっとヘン、とかそういうことだろうか。

「その骨を、みんなでお箸《はし》でつまんで、骨壺《こつつぼ》に入れるんだ」

「お箸でつまんで」

「そう。それでおしまい」

それでおしまい、か。でも。

「泣いたりした」ぼくはきいた。

「ううん」

「おまえのおばあさんだろ。悲しくなかったの」

「だって、赤ちゃんの時に会ったきりだもん。知らない人みたいなものじゃない」

「そっか」

「あっちには、行ったことがなかったんだ、オレ。とても遠いし」

そういえば、ぼくだって、おとうさんのほうのおばあちゃんには、もうずいぶん長いこと会っていない。どんな人だっけ。

「それよりさ」山下の声がかすれた。「死んだ人、見たことあるか」

「げっ、あるわけないじゃん」河辺はそう言うと、鼻の穴をぴくぴくさせて黙りこんだ。ぼくは山下がお葬式に行ったと聞いた時も、骨について聞いた今さっきでさえ、ほんものの『死んだ人』をやつが見たかもしれないなんてことは、夢にも考えていなかったことに気づいた。

「見たの」

「うん」

山下は、ぼくの顔をじっと見た。そうだ、今日一日、やつがぼおっと考えていたのは、このことだったのだ。

「お棺《かん》のなかに花を投げ入れるんだ、みんなで。その時」

「その時?」河辺がメガネの奥の目をらんらんとさせている。「なんだよなんだよなんだよ早く言えよ!」河辺はじれったくてたまらない、というように、スニーカーのかかとを地面にぐりぐりと押しつけている。

「別になんでもないけど……」山下がもったりと言った。「耳と鼻の穴に綿《わた》みたいなのがつまっているのが見えたよ」

「鼻の穴に綿!　なんでだろ」河辺の貧乏ゆすりが再開した。「鼻と耳に綿……鼻と耳に綿……」

「河辺、おまえちょっと黙れ」

河辺は黙った。そのかわり貧乏ゆすりが盛大になり、ぼくたちの座っているベンチがカタカタ音をたてた。

「それでさ、オレ、みんなといっしょに菊《きく》の花をお棺《かん》のなかにぽんと投げ入れたんだ。そしたら」

隣のベンチでバスを待っているおばさんが、変な顔をしてこっちを見た。ぼくは河辺の肩を、ぐっとおさえこんだ。

「花びらが空中で散って、そのひとつがくるくるくるっておばあさんの顔の上に落ちたんだ。ちょうど鼻の上に」

その花びらは黄色だったろうと、なぜだかぼくは思った。

「オレ、はらってあげなくちゃって思った。だけどこわくて手が出せなかったんだ。そしたらだれかが、お棺《かん》のふたを閉めてしまった。そうして釘《くぎ》を打つ。石でね。こつん、こつん

……」

「……なんだよ、それだけ」と河辺は言ってから、「なあんちゃって」と弱々しくつけたした。それだけ、とか言いながら、河辺の声はぴりぴり震《ふる》えている。

「河辺、黙ってろ」ぼくはちょっとこわい声を出した。

「その夜、夢を見たんだ」山下は、そう言うと黙ってしまった。

「こわい夢?」

「うん……うちに大きなトラのぬいぐるみがあるの、知ってるだろ？」

「うん」

「オレ、小さいころ、そのぬいぐるみ相手にプロレスして遊んでいたんだ、よく」

今でもだろ、と言いたかったが、それはやめにした。

「夢の中で、オレはそのぬいぐるみとプロレスしている。でもはっと気がつくと、それはぬいぐるみなんかじゃなくて……おばあさんの死体なんだ」

「うっひゃあああああっ！」

河辺が切れた。火がついたみたいに笑っている。山下はちらっと河辺を見たけれど、あまり気にしていないみたいに話を続けた。

「それがさ、まるきりぬいぐるみと同じなんだよ。反応《はんのう》がぜんぜんない。オレがけると、ぐにゃってなるだけ。痛いともなんとも言わない。モノなんだ。物体」

「物体」

山下はうなずいた。「それがものすごく、こわかった」

たしかにそれは、聞いているぼくをぞっとさせた。テレビやマンガでたくさん殺したり殺されたりするのを見ても、そんなふうに感じたことは一度もなかったのに。

「死んだら、どうなるんだろ」ぼくは言った。「それでおしまいなのかな……それとも」

「お化けはいる」山下が、口もとをぐっと結んで言った。「ただね、お化けっていうと……

なんていうか、ふわふわ軽いものみたいに今まで思ってたんだ。だけど……」

「だけど？」

「きっと重いんだよ、ものすごく。砂をつめた袋《ふくろ》みたいに重い」

もし山下の言うように、死んだ人というのがただの物体なら、お化けも物なのだ。心とか魂《たましい》みたいなものではなく、重さをはかることができるもの……塩とか、ラジカセとか、鞄《かばん》のような。ぼくは、お化けの乗ったはかりの目盛りはぜったいに見たくないな、と思った。お化けに重さがあるなんて、なんだか救いがたい感じがする。

「オレ、ほんとこわいよ。お葬式なんか、行かなきゃよかった」山下は、ぽつんとそう言うとスニーカーのつま先で地面をけった。

突然、河辺がベンチの上に仁王《におう》立《だ》ちになった。隣のベンチのおばさんが、持っていた手さげをぐっと抱きかかえて後ずさりする。やつはバカみたいに笑いながら叫んだ。

「オレは不死身《ふじみ》じゃあっ！」


それからしばらくの間、ぼくたちは特に山下のおばあさんの話をしなかった。山下はすっかりいつもの調子だし、河辺はバス停での『発作《ほっさ》』以来、ちょっと口数《くちかず》が少なくなったくらいで別に異常はなかったたし、お葬式のことは、忘れられたかのようだった。

河辺が新しいメガネをかけてきた日のことだ。放課後、やつのマンションの駐車場《ちゅうしゃじょう》にぼく

と山下は呼びだされた。

「なんだよ、重要な話って」

河辺は、ものすごく興奮しているみたいで、ぼくはなんだかいやな予感がした。

「うん……あのさ、バス通りから入ったとこに、書道教室があるだろ」

「うん。根岸荘《ねぎしそう》んとこだろ」

そのあたりは、まるで取り残されたように古い家が残っているところで、木造《もくぞう》の平屋建《ひらやだ》ての、おせじにも立派とはいえない小さな貸家《かしや》が何軒か、ごちゃごちゃと寄り集まっていた。

「あそこの隣の隣にさ、ひとり暮らしのおじいさんがいるんだよ」

「へえ」

河辺は期待にみちた目で、山下とぼくをかわるがわる見つめている。山下はといえば、やはりぼくと同じ悪い予感にとりつかれているようで、さっきからひと言もしゃべらない。

「それで」ぼくはきいた。

「それでじゃないよ。うちのおかあさんが隣のおばさんと話しているのを聞いたんだ。あそこのおじいさん、もうじき死ぬんじゃないかって言っていた」

ぼくには河辺の言おうとしていることが、まるでわからなかった。

「木山、おまえ、死んだ人、見たことないんだよな」

「あ……ああ」

「オレもなんだ」

「だからどうしたんだよ」

「つまりさ」河辺は目を輝かせている。こわい。「ひとり暮らしの老人が、ある日突然死んでしまったら、どうなると思う」

「どうなるって……ひとりぼっちで死んでしまったら……」

どうなるんだろう。友だちも家族もなく、もし、なにか最後の言葉を言ったとしても、だれにも聞かれることがなかったら。その言葉は、部屋の空気のなかをさまよって、やがて消えてしまうのだろうか。なにも言わなかったのと同じように。「死にたくない」「くるしい」「痛い」「くやしい」「しあわせだった」そんなどんな言葉も。

「そこを発見するんだよ」

「え」

「おじいさんがひとりで死ぬ。そこを」

「だれが」

「オレたちに決まってるじゃん！」

「オレ、か、帰る！」山下が、突然叫んだ。けれども河辺はすばやく山下の襟首《えりくび》をつかんで放《はな》さなかった。

「おまえがいてくれないと困るんだよ。死んだ人を見たことあるのは、おまえだけなんだか

ら」

「いやだいやだいやだ！」

「いいか、オレたちは、そのおじいさんを見張るんだ。今にも死にそうかどうかってことは、山下クン、きみがいちばんよっくわかるはずだ」

山下は、かわいそうに今にも泣きだしそうになっている。河辺はやっぱり、ちょっとおかしい。

「なに考えてんだよ」ぼくはうんざりしながら言った。「ハゲタカは、死んだ動物の肉を食うんだ。だから死にそうな動物を見つけると、そいつが死ぬ前から、その上を飛びまわって、自分たちがごちそうにありつけるのを待つんだってさ。おまえは、ハゲタカか。バーカ」

ぼくがそう言うと、河辺はとたんにしゅんとなり、うつむいてしまった。山下は襟首《えりくび》を放されて、げほげほセキをしている。

「オレさあ……」河辺が、消えそうな声で言った。「あれから、山下のおばあさんの夢ばっか見る。会ったことないけどさ、夢んなかで山下のおばあさんが、オレの上にたおれてくるんだ。ものすごい重くて、ぜんぜん身動きできなくなってしまう。それとか、はっと目がさめると、まわりが火なんだ。せまいトンネルみたいななかで、自分が燃やされてる。助けて、まだ生きてるんだよおって叫ぶと、目がさめるんだ」

「ああ」ぼくはうめいた。ぼくも、まるで同じとは言わないけれど、似たような夢を、ここ

のところ毎晩見ていたのだ。

「このごろ、なんか死んだ人のこととか、自分がいつかは死ぬとか、死んだらどうなるんだろうとか、そんなことばっかり考えてしまうんだ。でもさ、頭では人間はいつか死ぬってわかっているつもりでも、ぜんぜん信じられないんだよな」

「オレも」ぼくと山下が同時に言った。

「だろ?」河辺は、急に元気づけられたようにぼくたちを見た。「頭ではわかっているのに、信じられないことについて、もやもや考えているとさ、なんかこう、どうにもじれったいようなヘンな気分になってこないか? 小便がまんしてるみたいなさ」

「まあね」ぼくが言った。

「オレは耐《た》えきれない。人間が進歩したのは、知りたい、という欲望があるからだと、先生も言っていたけれど、オレだって知りたいって欲望があるんだと、十二歳の今にしてようやくわかったよ。きのう、線路の上の橋を渡っている時……橋の手すりの上に乗ってみたんだ」

ごくん、と山下がツバを飲みこむ音がした。

「むこうから電車がずんずん近づいてきて、今ここで落ちたら、電車につぶされて必ず死ぬって考えた。するともう、落ちないではいられないような、すごいじれったいような感じになっちゃってさ」

ぼくの耳の中で、電車の警笛《けいてき》が激しく鳴った。

「だけどさ、その時、おまえらのこと思い出したんだ。そうやって死ぬっていうのがどういうことか、知ることができたとしたって、おまえらに話せないもんな、死んじゃったら」河辺はまた、いつもの火のついたみたいな笑いの発作《ほっさ》におそわれた。「手すりからおりたら、ほんとに小便もらしちゃったんだぜ、オレ！」

ぼくはその時、河辺を少し尊敬した。やっぱりやつはちょっとヘンだけど、ただこわがっているだけのぼくなんかよりは、ずっとずっとすごいやつだと思ったのだ。知りたいことがあるのなら、知る努力をするべきだ。

「いいけど」

「……って？」山下がおずおずきいた。

「つまりさ」ぼくは山下の食い入るような目を避《さ》けた。「本人にはぜったい迷惑《めいわく》をかけないってことで……」

「えーっ！」

「やたーっ！　二対一！」河辺が躍《おど》りあがった。

2

その家は、まるで手入れというものがされていないようだった。外壁《そとかべ》の板は半分はがれて風にぱたんぱたんとゆれているし、ガラスの割れたところにはガムテープで新聞紙を張りつけただけだ。なんだかわけのわからないガラクタやら、もう何年も使われていないらしく雨水《あまみず》のたまった漬物桶《つけものおけ》やら、新聞紙の束《たば》やら、ゴミ袋《ぶくろ》なんかが、ずらっと家をとりかこんでいる。大きなキンモクセイの木のある南側の庭に面して縁側があり、下半分がくもりガラスのガラス戸が、家の中と外をしきっていた。

東側の道路からは、家のずっと奥までは見えないけれど、くもりガラスのむこうで青い光のかたまりがゆらゆらと動いて、テレビがついているのがわかる。おじいさんは、もうすぐ七月だというのに、コタツに入っている。あいかわらず雨ばかり降って、ちっとも暑くならないせいだろう。でも、くもりガラスに押しつけられた赤っぽいコタツ布団《ぶとん》は、なんだかぼくをゆううつにさせた。

「生きてる」こけの生えたブロック塀《べい》から、背伸びをしてのぞきながら、河辺《かわべ》が言った。

「おまえな」ぼくは、ブロック塀に身を隠した。「見張りっていうのは、根気《こんき》のいる仕事なんだぜ。わかってんの」

「そうそう、わかってんの」山下が言った。「探偵《たんてい》とか刑事とか、テレビで見るよか、ほんとはずーっと大変なんだぜ」

「知ってるさ、そんなこと」河辺が言った。「オレのおとうさん、探偵だったんだぜ。言うなって言われてるけど」

「へえ!」山下は尊敬をこめたまなざしで言った。「かっこいい」

「そうさ。警察でも解《と》けない殺人事件を解決しちゃってたんだ」

「すげえ」

「床屋《とこや》の切り裂《さ》き事件あっただろ。はさみでぐっさりってやつ」

「おぼえてない」

「あの事件、解決したのは、オレのおとうさんだったんだ。鍵《かぎ》になったのは、一枚のレコードだった。犯人は、犯行現場で、必ずある一曲のワルツを流していたんだ。おとうさんは、ひとりで現場にもどった。夜だ。だれもいない床屋の店には、まだ血のにおいが残っているようだった。おとうさんが、そのレコードに針《はり》を落とした時……」

山下はすっかり感服《かんぷく》して、河辺の話に聞きほれている。細かい雨が、また降りだしていた。でも、ぼくたちの傘《かさ》は、たたんだままだ。

河辺におとうさんはいない。やつがまだ赤ちゃんの時に死んでしまったということだ。やつは、おとうさんについていろいろなことを言う。ある時は野球選手だと言ったし、ある時

は小説家だと言い、ある時は飛行機のパイロットだと言った。まあ、一年に二、三度くらいなものなので、たいがいは「へえ！」っていう感じで、みんなそのうち忘れてしまうし、クラスがえなんかがあったりしてトラブルは避けられているのだけれど、ぼくみたいになぜかやつと幼稚園《ようちえん》もいっしょでクラスもずっといっしょというつきあいになると、「また始まった」ということになる。それに、ものおぼえのいい、いやなやつも世の中にはいるのだ。

去年、学芸会の練習をしていた時のことだ。河辺は主役の『らっぱ吹きの少年』の役がすごくしたかったのだが、杉田にその役を奪われてしまった。主役は先生が決めるはずだったのに、杉田はそれより先に、自分から立候補して「どうしてもやりたい」とみんなの前で言って、押しきってしまったのだ。たぶん、河辺はそれがすごくくやしかったのだろう。自分のおとうさんは俳優だった、と言いだしたのだ。

「名わき役と言われてたな。くだらないテレビなんかには出ない。舞台《ぶたい》ひとすじだったんだ」

その時、杉田の目がずるそうに光ったのを、ぼくはおぼえている。

「河辺、おまえ、おとうさんはパイロットじゃなかったの？」

言葉につまった河辺を、杉田は「嘘《うそ》つき」とののしった。「おまえの親父《おやじ》、そーんな恥《はじ》なことしてたわけ！」

その時の河辺の怒《おこ》った顔を、ぼくは今でも忘れることができない。ぐっと奥歯をかみしめ、

真《ま》っ青《さお》な顔をして、メガネがふっとぶんじゃないかと思うほど杉田をにらみつけていた。いつもの貧乏《びんぼう》ゆすりさえしていなかった。

あの時のことを思い出すと、ぼくは少し後悔する。杉田につかみかかっていった河辺を、ぼくは後ろから抱きとめ、おさえてしまったのだ。だってもしそうしなかったら、河辺はやつを殺してしまうだろう、そう思うと全身の毛穴《けあな》がひゅっとつぼまるほどこわかった。ぼくは腰ぬけだ。なぜそんなことをするかわりに、杉田のやつを一発、思いきりぶんなぐってやらなかったのだろう。

河辺とぼくがほんとうにつきあいだしたのは、それからだ。やがて山下が加わり、なんとなくトリオができあがった。メガネの河辺、でぶの山下、そしてぼく。一度、いっしょに宿題をしようということになって、ふたりがぼくの家にやってきたことがある。河辺はぼくのおかあさんに話しかけられると貧乏ゆすりばかりしているし、山下はソファにジュースをこぼすしで、さんざんだった。おかあさんはふたりが帰ったあと、「今度は、もっと仲のいいお友だちをよんでいらっしゃい」と言ったものだ。それ以来、ぼくはだれも家によんでいない。

「探偵《たんてい》か、いいなあ」山下は薄目でにやにやしながら夢の世界に入りこんでいる。トレンチコートを着て、帽子を目深《まぶか》にかぶった私立《しりつ》探偵にでもなったつもりらしい。

「じゃ、スケジュールの打ち合わせをしよう」ぼくはしゃがみこんだまま、傘《かさ》をさした。山

下と河辺が入ってくる。雨が強くなってきていた。「月曜から金曜までは、塾《じゅく》に行く前。放課後、家に帰って塾の鞄《かばん》を持ってから、ここに集合」

「野球は」山下が言った。

「探偵だぜ」河辺が言った。「それにおまえ、どうせ外野ばっかじゃない。野球と探偵、どっちをとるんだ」

「どっちって……」

「どっちなんだよ」

「探偵」

「だろ」

「うん」山下は、しぶしぶうなずいた。

「土曜日は」ぼくが言いかけると、

「オレ……」と山下がもぞもぞ言った。

「なんだよ」

「土曜は、店の手伝いしなくちゃ怒られるんだ」

山下の家は、魚屋だ。

「そういえば……」河辺が言った。「木山、オレたちも土曜はスイミングだ」

「じゃ、山下は土曜はパス。オレと河辺は、スイミングが二時からだから、そのあと」

「オーケー」

「日曜は？」

「塾のテストとサッカー教室があるから、どうしようか」

「その週によってテストの時間、違ったりするし、土曜に決める」

「いいね」河辺は、ふんと鼻をならしてうなずいた。「こうして考えてみるとさあ、スイミングは山下は来ないけど、あとはぜんぶいっしょじゃない。こういうのも、めずらしいんじゃないの」それから「あ」とぼくを指さした。「おまえ、ピアノは」

「もうやめたよ。とっくに」ぼくは、その話題は避《さ》けたかった。もとはといえば、おかあさんが勝手に習わせていたことで、ぼくは練習がいやでたまらなかったのだが、今でも家にだれも弾《ひ》かないピアノがどん、と置いてあるのは、けっこうプレッシャーなのだ。「先生に赤ちゃんができちゃってさ。そしたら、人が変わったみたいにヒステリーになっちゃって」

「そりゃあ、ダンナが悪いね」河辺がどこかのおばさんみたいに言った。

「そんなもん？」

「そんなもん。子育てはふたりでするものだ……しかし……」

「なに」

「先生、結婚してたんだ」

「そうだけど？」

「おまえ、先生と結婚するって言ってたじゃない」

「るせえ！」

河辺はへんなところでものおぼえがよかったりする。そう言っていたのは、幼稚園のころなのに。

タラタタラタターン、と河辺は『乙女《おとめ》の祈り』の最初のフレーズを歌いながら雨のなかに飛びだすと、「先生、ぼくとケッコンしてください！」と叫んだ。山下はばかみたいにげらげら笑っている。ぼくは耳がすごく熱くなってしまった。だいたいぼくは、『乙女の祈り』なんて弾けないのだ。


そいつらは、いつも二人組だ。一人は背が高くやせて、もう一方のほうはチビで太っている。漫才《まんざい》でもやるみたいな、典型的な凸凹《でこぼこ》コンビだ。二人とも、頭の毛がほうきみたいにぼさぼさで、目がぎょろりとしている。

なぜぼくにとってのお化けが、そんな姿になったのか、それはよくわからない。ぼくは小さいころ、その凸凹コンビのお化けに追いかけられる夢をよく見た。だれもいないうす暗い廊下を歩いていると、待ちぶせているそいつらの影だけが床《ゆか》に長く伸びていたり、どんよりとくもった空の下、だだっ広《ぴろ》い道路をそいつらがケラケラ笑いながら追いかけてくる。背の高いほうはボートのオールみたいにぴんとつっぱった体を前後にゆらして、チビデブのほう

は、ひとだまみたいにぴょんぴょんはねながら。そのマンガみたいな姿にもかかわらず、そいつらはほんとうにおそろしかった。そいつらが笑えば笑うほど、ぼくは寝小便をするほどうなされた。

山下のおばあさんの話を聞いて以来、ぼくの夢にはそいつらがふたたび登場するようになっていた。暗闇《くらやみ》のなかで松明《たいまつ》をかかげ持ち、あいかわらずケラケラ笑いながら目をぎょろぎょろさせて、ぼくを追いかけてくる。その松明《たいまつ》の火で、ぼくを焼き殺すつもりなのだ。

そんな幼稚な夢を見ては、あぶら汗を流して毎晩目をさますなんて、われながらちょっとなさけない。でも、小さいころとちがうのは、どうしてやつらがこわいのか、その理由が少しばかりわかったことだ。そいつらはぼくのことなんか、ぜんぜんかまっちゃいない。ぼくのことを理解しようなんて気もないし、ぼくもそいつらを理解することなんかできっこないだろう。「まだ死にたくない。殺さないでくれ」と、どんなにぼくが言ったとしても、ケラケラ笑ってばかりいるそいつらに、言葉は通じないのだ。そいつらは、別の世界の住人なのだ。ぼくが生きている世界とは別の、たぶん、『死』の世界の。

そいつらは、ただおそいかかってくる。それだけだ。ぼくの恐怖《きょうふ》さえ理解していない。ぼくはそれが、ほんとにこわいと思う。

それから何日通っても、おじいさんはいつもコタツに入ってテレビを見ているばかりだっ

た。

「いいよなあ、あんなにテレビばっか見られて。オレなんか、一日一時間半って決められちゃってる」山下はブロック塀《べい》の下に座《すわ》りこむと、「でもさあ、テレビを見るしかすることないってのも、つまんない人生かなあ」

「そりゃそうじゃないの」ぼくが答えた。

「そうだよな。オレだったらファミコンもしたい」

「山下」

「なに」

「だから太るんだ、おまえ」

「もっと運動しろって言うんだろ」

「ちがう。気楽だってこと」

「もしかしたらさ」河辺はずっと背伸びをしたまま、ブロック塀の向こうをのぞいている。山下やぼくのように、地面に座りこんだりなんか、決してしない。「もしかしたらさ、おじいさんはテレビをつけっぱなしで、死んでいるのかもしれない。コタツに入ったまま。そうでないって言えるか」

山下とぼくは、がばっと立ち上がると、塀のなかをのぞきこんだ。ぼくはいちばん背が高いので背伸びをする必要はない。河辺よりも背の低い山下は、背伸びをしてもぎりぎりとい

うところ。あまりよく見えないとしょっちゅうこぼしている。

「まっさかぁ」山下がぴょんぴょんはねながら言った。

「その、まさかだよ」河辺は初めてブロック塀から体を離して言った。「このクソ暑いのに、コタツに入ってるなんて、どう考えたって……」

山下ははねるのをやめた。そういえば、今日は雨がやんでから、突然むうっと暑くなりはじめていた。ぼくは、くもりガラスのむこうで、あいかわらずテレビに向かって座っているおじいさんを斜《なな》め後ろからじっと見た。半分はげた頭も、茶色っぽい服を着た背中もぴくりとも動かない。テレビの画面の光だけが、ゆらゆらと動いている。

「木山」

呼ばれてふりかえると、河辺がまた例のあぶない目つきをしている。

「おい、メガネ、ずれてるぜ」ぼくが言うと、河辺はメガネを直した。でも目つきはぜんぜん直らない。

「踏みこもう」

「ちょっと待てよ」

「死んでいるかもしれないんだぜ。いや、ぜったい死んでる。オレは、そんな気がする」

「生きてたら、どうすんだよ」

「じゃ、死んでたらどうするんだよ。そのままにしていちゃ、もっとマズイ。そうだろ」

「山下」ぼくが言うと、山下はぴくんとした。「どう思う。やっぱり死んでいると思うか」

「そんな」

「そんなじゃない。おまえ、死んだ人を見たんだろ」河辺がせまった。「はっきりしろ、でぶ」

山下は小さな目をきょろきょろさせて、救いを求めている。

「わかんないよ。でも」

「でも、なんだ」

「死んだ人をほおっておくと、そのうちいやあなにおいがしてきて、腐《くさ》りはじめるんだってさ。うじ虫がわいて、その腐った肉を食べはじめるんだ。じくじくじくじくって」

河辺の貧乏ゆすりがはじまった。早く行動しないと、またやばいことになるぞ、とぼくは思った。

「おい、におわないか」河辺は声まで貧乏ゆすりしている。

「ひっ」山下が三センチとびあがった。

「におう。くさい。どうもさっきからくさいと思っていたんだ。きっと……」河辺は体をゆらしながら、しきりに鼻をふんふんやっている。「な、そうだよきっと」

そういえば、なんだかくさいような気もしないでもない。すっぱいような、ちょっと鼻につんとくるにおい……。

「そうなのかな」ぼくの声がかすれた。

河辺はうなずいた。

山下が「帰ろうよ」と小さい声で言ったけれど、だれもそれに反応《はんのう》しなかった。

ぼくたちがもういちど庭をのぞきこもうとしたときだ。ゴトゴトと家のなかで音がしたと思うと、ぼくたちのいるすぐ脇《わき》の玄関の扉《とびら》が、ゴソリ、という音をたてて開いた。

「うわあぁぁぁぁーっ!」

それがだれの悲鳴だったのか、ぼくはぜんぜんおぼえていない。たぶん、三人いっしょだったんだと思う。ぼくたちは一目散《いちもくさん》に、それこそ全速力で走っていた。

結局、玄関からあらわれた何者かを、三人のうちだれも目撃することはできなかった。河辺のマンションの駐車場で、ハアハアゼーゼーやっていると、河辺は山下とぼくに「見たか」ときいた。ぼくたちが首をふると、「なにやってんだよ、おまえら」と黄色い声をあげたのだが、「じゃ、自分はどうなんだよ」と山下に言われて、ぷっつり黙った。

でも、その後もぼくたちは根気よく『探偵《たんてい》』を続けた。そうして、おじいさんがちゃんと生きていること、三日に一度くらい、近所のコンビニエンス・ストアに買い物に出かけること、あのいやなにおいは、どうやら家のまわりに並べられたゴミ袋《ぶくろ》から発せられているらしいということをつきとめた。七月になり、夏休み前の短縮《たんしゆく》授業がはじまるまでのあいだで、

やっとこれだけキャッチできたのだ。その間、変わったことといえば、やたらと暑くなったことくらいで、なにもありはしない。おじいさんは、よれよれしているもののあいかわらず生きているし、指名手配中の殺人犯が、あの家にこっそりかくまわれているわけでもない。ぼくは大人になっても、探偵になるのだけはゴメンだと思った。根気と時間がかかるわりに、退屈な仕事だ。

それでも続けていたのは、河辺の執念《しゅうねん》と、ぼくをあいかわらず悩ますお化けの夢のせいじゃないかと思う。まあ、ほかにおもしろいことがなにもない、というのもあるのだけれど。ぼくたちは、コンビニエンス・ストアに行くおじいさんを尾行《びこう》する。アイスクリームなんかを買って、それとなくかごの中身をチェックする。おじいさんが買うものは、たいがい決まっている。お弁当、パン、バナナ、パックに入ったお漬物《つけもの》、イワシの缶詰《かんづめ》、インスタントの味噌《みそ》汁《しる》、カップラーメン。お弁当は必ず買い、そのほかのものは買ったり買わなかったりだけれど、だいたいそんなものだ。時々、トイレの紙を買う。

おじいさんは買い物のビニールの袋をさげてのろのろ歩く。時々立ち止まっては、電信柱とか、落ちてる空き缶《かん》とか、看板とか、歩いている人だとかを、しげしげと見たりする。それは決しておだやかな見つめ方ではなくて、「何か文句あるか」的な目つきなのだけれど、見つめているものに、たいして意味があるとは思えなかった。それから、団地の子どもの遊び場になっている小さな公園に寄って、そこでバナナを一本食べる。砂場で遊んでいる子ど

もとか、その砂にうんちをしている猫《ねこ》なんかを、またしても「何か文句あるか」的な目つきでひととおり見てしまうと、のろのろと立ち上がって帰り道を歩きはじめる。決まったコースだ。だれも話しかけないし、おじいさんも話しかけたりしない。

「あんまりいいもの、食べてないなあ」

ある日、コンビニエンス・ストアから帰ったおじいさんを、ふたたび塀《へい》の外から見張っているとき、山下がふと言った。

「なに」

「おじいさん。お弁当、よくふたつ買うだろ。あれ、ひとつは夜に食べて、もうひとつは、翌朝たべるんだろうな、きっと」

「おまえなら、いっぺんにふたつだよな」河辺がチャカした。山下はちょっとむっとした顔をしたけれど、「言えるかもしれない」と太い腕を組んで、上目づかいに考えこんでいる。

「うち、おかあさんが会社遅くなるし、夜はお弁当なんだ。このへんの弁当屋には、ちょっとくわしい」河辺が言った。「お弁当ならさ、あそこより、もうちょっと先の『銀しゃり亭《てい》』のほうがずっとおいしいんだよ。そうじゃなかったら『京樽《きょうたる》』のお寿司《すし》。でもあそこは早くしまっちゃうんだよね」

「うちなんか、魚の売れ残りばっか」山下が言った。

「このごろは、日曜もお弁当買っちゃうんだ。おかあさんが作るのよりおいしいよ」

「へえ」

ぼくの家は、おかあさんが一日いる。そして毎日ぼくとおとうさんのために食事を作ってくれる。ぼくが塾《じゅく》で遅く帰ると、さっと肉なんか焼いてくれて、出してくれる。そうしてぼくが食べるのをじいっと見ている。食べている時、そんなにじいっと見られるのはほんとうはあまり好きではないのだけれど、それは言わない。おかあさんは、ぼくが食べるのを見ながら、クラッカーなんかをちょっとつまんで、ワインを飲んでいる。

ぼくが食べ終わるころか、それよりもっと遅く、おとうさんが帰ってくる。するとおかあさんは、また台所に立つ。でもおとうさんは、お茶漬《ちゃづ》けとか、簡単なものしか食べない。おかあさんは、おとうさんともいっしょに食べない。おかあさんはなにを食べているんだろう。

3

ぼくはなかなか、おじいさんの顔をおぼえることができない。もちろん道で会えば、すぐにわかる。でも、家に帰ってひとりになった時思い出そうとしても、なんだか輪郭《りんかく》のぼやけた粘土《ねんど》の人形みたいで、はっきり思い出すことができないのだ。

おじいさんはいつも茶色のシャツを着て、濃《こ》い灰色のだぶだぶしたズボンをベルトで持ち上げるようにしてはいている。小学校の体育館ばきみたいな運動靴《うんどうぐつ》をはき、手にスーパーの袋をさげている。体はとてもやせていて、頭がはげている。そういうだいたいのこととか、あるいは、手にぽつぽつとしみがあるといった、すごく細かいことはよくわかるのだけれど、どんな顔をしていたか、ということになると、とたんにわからなくなってしまうのだ。

「そうなんだ、オレも」山下は、ぼくの話を聞くと、勢いこんでそう言った。「テレビで時代劇見てるだろ。昔は盗賊《とうぞく》の親分だったけど、今はひっそりときせるかなんか作りながら暮らしている老人が出てきたりする。そうすると、あ、あのおじいさんに似てる、なんて思うんだ。で、また別の時、別の番組で歳《とし》とった男の人が出てると、やっぱりこっちに似てるかな、なんちゃって」

「オレもそう」河辺《かわべ》が言った。「前、だれかが言っていたんだけど、好きな女の子の顔はな

かなかおぼえられないもんなんだって」

山下が飲んでいた缶《かん》ジュースにむせた。「あのおじいさんが、どうして好きな女の子なんだよ！」めずらしくムキになっている。

「だよなあ」

「ヘンなこと言うなよ」

「そうだよなあ。でもさ、どうしておぼえられないんだろ」

どうしてだろう。

「こそこそ見てるから、いけないんじゃないの」山下が言った。

「そうかもね」ぼくが言った。河辺はなにも言わない。まるで納得《なっとく》してなんかいないと言わんばかりに。ぼくだってほんとうはそうなんだけども。

「あ」

玄関の扉《とびら》がごそり、と音をたてて開いた。安っぽい合板《ごうはん》が張ってあるドアだから、そんな音しかしない。

ぼくらはすばやく駐車《ちゅうしゃ》してある車のかげに隠れると、尾行《びこう》を開始した。おじいさんは、いつものようにのろのろ、少し足を引きずるようにして歩いている。どうせ行く先はいつものコンビニに決まっているのだから、先まわりしてもよさそうなものなのだが、河辺の「本格的にやろう」という意見を尊重《そんちょう》して、電柱とか自動販売機のかげなんかに隠れながら、忍者

のように追跡《ついせき》する。商店街に入る角を曲がる時、おじいさんがぱっとふりかえった。山下があわてて、電柱に頭をぶつけた。おじいさんはそれを見ると、「ふん」というような顔をして、行ってしまった。

「どじ」河辺が舌打ちした。「おまえ、メンがわれたぞ」

「メンがわれるって」

「顔を知られたってことだよ。でなくてもでぶは目立つのにさあ」

山下は下を向いてしまった。目をぱちくりしている。

「泣くな、でぶ。変装しろ」

「え」

「変装するんだよ」河辺はポケットから赤くて四角いものをとりだした。「なにかの時に役に立つと思ってたんだ」

黒いゲジゲジみたいななにかと、セメダインのチューブが、プラスチックのケースに入っている。

「つけひげセット。つけろよ」

山下はまたしても、いやだいやだとじたばたした。河辺はおかまいなしにセメダインのフタを開けはじめている。

「やめたら」さすがに今度ばかりは、ぼくも山下に味方した。ぱんぱんの半ズボンをはいた

太った小学生が、鼻の下にちょびひげをはやしているなんて、かえって目立つに決まってる。

「それより急ごう、コンビニに直行!」

ぼくが駆けだすより先に、山下が「直行!」と叫んでダッシュした。

その商店街のはずれのコンビニエンス・ストアに、おじいさんはいなかった。ぼくたちはあわてず、いつもの公園にむかった。けれども、そこにもおじいさんはいないとわかった時、ぼくたちは少しあせった。

「やっぱり尾行に気づかれたのかな」山下は申しわけなさそうにそわそわしている。

「とにかく探してみよう。山下はおじいさんの家とその付近。河辺は商店街。三十分後にここに集合」

「オーケー」

ぼくたちは機敏で百戦錬磨《れんま》の諜報《ちょうほう》部員のように、ぱっと散った。

ぼくにはちょっとあてがあった。公園の脇《わき》の坂道をのぼったところにある、大きな病院だ。

ぼくは、山下と河辺がさすが、と言うところを想像しながら、坂道をダッシュした。

待ち合い室は、大きな天窓《てんまど》から、そろそろ夕方に近づいた陽《ひ》の光がいっぱいに差しこんでいた。受付、会計、薬局があり、そこから放射状に内科、小児科《しょうにか》、耳鼻科《じびか》、眼科《がんか》、形成外科《けいせいげか》、産婦人科にわかれる小さな通路が伸びている。

ぼくは、中央待ち合い室をざっと見わたし、おじいさんがいないことをたしかめると、それぞれの科の待ち合い室をまわりはじめた。お年寄りはあまりいない。子どもと、そのおかあさんと、ちょっと仕事を抜けだしてきた店員さんみたいな人が多い。午後のせいだろうか。前に、学校を休んで午前中来た時は、お年寄りとおなかの大きい女の人がすごく多かったのに。

その朝、ぼくの目は死んだ魚のように真っ赤だった。

「きっと結膜炎《けつまくえん》よ。病院に行かなくちゃ」

ぼくはひとりで平気だよと言ったのだけれど、おかあさんはついて行く、と言ってきかなかった。

おかあさんと眼科の待ち合い室で待っていると、診察室のなかから、男の先生のかん高い声が聞こえてきた。

「おととい、目薬あげたばっかりじゃない。どうしてもうなくなっちゃうの。はっきり言いなさい。どうしておとといあげた目薬が、もうないんだ!」それからしばらくぼそぼそした声が聞こえると、「こぼした? なんでこぼすんだ! え? わざとこぼしたんじゃないの、わざと?」と刑事ドラマの取り調べみたいな先生の声がして、ほんとうにびびった。ぼくはてっきり責められているのはぼくみたいな子どもにちがいないと思っていたのだけれど、扉《とびら》が開いて出てきたのは、小さなしわくちゃのおじいさんだった。スーパーのビニール袋におさいふなんか入れて、顔はしみだらけで、シャツはズボンから半分はみだしていた。そのお

じいさんは、ぼくと目があうと、弱々しく笑った。ぼくはそのおじいさんの顔を忘れることができない。それから、そのあと先生が、ぼくのおかあさんに「息子さんは、結膜角膜炎《けつまくかくまくえん》です。家族の人とタオルや洗面器は別々にするように。だいじょうぶ、よく効《き》く薬がありますから、五日間で治りますよ」と言ってにっこりした顔も。帰り道、おかあさんは「よかったわね、いい先生で」と言った。ぼくはなんだかむかむかした。

救急車のサイレンの音がして、ぼくははっとした。もしかしたら、といういやな予感がしたのだ。急いで中央待ち合い室を抜け、入り口のところに行くと、担架《たんか》はもう、かつぎこまれたあとだった。

「階段から落ちたんですって」ガウンを着たおばさんが、お見舞いに来た人としゃべっている。ぼくの足は勝手にそのおばさんのところまで行くと、ぴたりと止まった。

「あの」声がかすれる。

「なあに」ガウンを着たおばさんは、目のまわりが気味の悪い植物の種のようにはれあがっていた。

「今、救急車で来た人、おじいさんでしたか」

「ううん。おばあさん」

ぼくは、そのおばさんにお礼を言うのも忘れてしまった。すごくほっとしたのだ。

集合場所にもどってみると、すでに河辺と山下が待っていた。

「どうだった」河辺はまた貧乏《びんぼう》ゆすりをしている。ぼくが首を横にふると、「逃走したか……」とメガネの奥の目を、ぐっと細めた。

「まさか。刑事ドラマじゃあるまいし」

それからぼくたちは、銭湯《せんとう》、ゴルフ練習場、デパートの屋上、普段行ったことのない住宅展示場までおじいさんを探した。すっかり暗くなり、かかとが痛くなるほど歩いたころ、ぼくたちはもう一度、おじいさんの家にもどってみた。あかりがついている。

「なあんだ、帰ってた」山下はそう言うと、へたへたとその場にしゃがみこんでしまった。ぼくと河辺も座《すわ》りこみ、三人並んで、塀《へい》にもたれてぼーっとしていた。

「なんであんなに、いっしょけんめい探しちゃったのかなあ」

「ほんと。ばっかみたい」河辺はそう言うと、はは、と短く笑った。陽はしずんだのに、カラスが鳴いている。遠くの高速道路の音が、柔らかな河が流れるように聞こえてくる。なんだか眠くなってきた。

「やばい！」山下がスットンキョウな声をあげた。

「なんだよ」

「塾。忘れてた」

塾のことを忘れてしまったなんて、初めてだ。ぼくたちはあわてて立ち上がると、ぼくは

山下の、山下は河辺の、河辺はぼくの腕時計をのぞきこもうとして三人で頭をぶつけた。

「あと三十分で終わりだよ。どうする」

「さぼっちゃおうぜ」河辺が言った。

「そ、そうしようか」山下が、そわそわした。

「とにかく行こうよ」とぼく。

「木山のいい子ちゃん」河辺が言った。山下はちょっとがっかりしたような、ほっとしたような、どっちつかずの顔をしている。

「行くよ、オレは」いい子ちゃん、なんて言われたぼくは、ちょっと意地になった。

「えーっ、本気かよ」

「オレは行く」

「さぼろうぜ、今から行ったってしょうがないじゃない」と騒ぎまくる河辺を山下がなだめながら、とにかくぼくたちは歩きはじめた。


一学期最後の土曜日。山下は店の手伝いがあるので、ぼくと河辺はふたりで、夕方の張り込みを続けていた。前の日に塾を大遅刻して、まずいことに塾から家に連絡ずみだったので、河辺はおかあさんにぶたれたと言ってしょげている。ぼくのおかあさんは、塾から帰ってきたぼくがご飯を食べるのを見ながら、またお酒を飲んでいた。いつもより、たくさん。なに

も言わなかった。

　ぼくたちは二人とも、黙ったままおじいさんの家をのぞきこんでいた。河辺は背伸びをして、ぼくは頭の先があまりとびださないように注意して。最近、ぼくはすごく背が伸びてるらしい。毎日、塀にはりついてばかりいると、よくわかる。たまに鏡を見ると、半ズボンからひょろひょろ伸びた足と、やっぱりひょろひょろとしかいいようのない腕が、ぼくをほんとにうんざりさせる。イヤミな女子たちが『きゅうり』と呼ぶのもあたりまえだ。顔だって、なんだか妙に間のびしたみたいな感じになってしまって、特に鼻なんかひどい。ぼくはこんな長い鼻じゃなかったはずだ。

「おい！」少し声を殺して、後ろからだれかが呼びかけた。山下だ。ずっと走ってきたのだろう。汗だくだ。

「どしたの」

「家業をさぼるな」河辺が説教した。

「うん、これさ」新聞紙でくるんだ包みを持っている。

「なんだよ」

　山下は、へへぇっと自慢げに笑うと、新聞紙をとりのけた。お刺身《さしみ》だ。「うまそうだろ」

　プラスチックの皿の上に、シソの葉と大根のツマといっしょに、マグロ、イカ、ウニものっている。ぼくはあまりサカナは好きではないけれど、そのお皿の上にのったものは、つや

つやしてとてもきれいだと思った。

「配達か」

「くすねてきたんだ」

「なにしに」

山下は、ちょっと口ごもった。

「どうすんだよ、そのサカナ」

「いや、あのさあ、おじいさんに食べさせるのはどうかな、なんて思って」

「おまえ……なかなかすごい」河辺が初めて興味を示した。「天才だよ。いや、ただの天才じゃない。勇気ある天才」

「そ、そうかな」山下は、照《て》れた。

「そうだよな、このまんまじゃ、なかなか死にそうにないもんな」河辺がしみじみ言った。

「え」

河辺の目は、お刺身に吸いつけられている。「毒入りには見えない」

山下は、お刺身をさっと背中に隠すと、冗談じゃない、とかすれた黄色い声を出した。

「なんだよ」河辺が口をとんがらせた。「毒、入ってんじゃないの」

「お、オレは、ただおじいさんに食べてもらおうと思って」

たしかに、少なくともぼくたちが見張りだしてからは、おじいさんはお刺身なんか食べて

いない。コンビニのお弁当と缶詰《かんづめ》ばかりだ。

「おまえ、頭おかしいんじゃないの。オレたちはなんのために、毎日ここでシンボーしてんだよ」河辺は黒目をとがった画びょうのようにして、山下をにらんだ。

「そりゃ、そうだけど」

「栄養つけて、どうすんだよ。バーカ」

「でもさ」山下は、下を向いた。お刺身の皿をしっかり持って。「おいしいものくらい、いいじゃない。ほんとに、もうすぐ死ぬならさ」

河辺は黙った。それから、ちょっ、と舌打ちして「どうやってわたすんだよ」とぼそっと言った。

「ドアの前に置いて、ノックするんだ。そうしてさっと隠れる」山下は、勢いこんで言った。ずっとその考えをあたためていたらしい。

「やればいいだろ」

河辺にそう言われると、山下は急に不安そうにぼくを見た。

「ひとりで」

「そうだよ、おまえが言いだしたんだから」河辺は、勝手にしろ、と言わんばかりだ。山下はまだぼくを見ている。

「ひとりのほうが、ばたばたしなくていいんじゃないの」ぼくが言うと、山下はなさけなさ

そうな顔をした。

「いい考えだと思うよ」

「ほんとに？」

「ほんとに」

山下は、玄関の扉《とびら》をじいっと見た。それからぼくの顔を見て、うん、とうなずくと、おそるおそるブロック塀《べい》の切れ目から、玄関の前の端《はし》の欠けた敷石《しきいし》に手を伸ばして、そおっと皿を置いた。そしてぼくたちのほうをむいた。ぼくと河辺が、声を出さずに「行け、行け！」と手を大きくふって合図すると、やつはまたうなずいて、鼻の下をかき、二歩踏みだし、息をつめたまま、どんどんどんどん、とかなりけたたましいノックをした。

「来るぞ！」

ぼくたちはころがるように近くのクルマのかげに隠れた。玄関の扉が開き、おじいさんがあたりを見まわし、かがみこみ、立ち上がり、また扉を閉める。もどってみると、皿はなかった。

「食べるかなあ」山下は、少し不安そうだった。「ほんとに毒入りかと思うかも」

「食うさ、きっと」河辺が言った。「食いそうな顔してる」

「とてもおいしそうだったし」ぼくがつけ加えると、山下は「あー、心臓《しんぞう》止まるかと思った」としゃがみこんでしまった。

4

夏休みがはじまった。毎日、午前中、ぼくたちは塾《じゅく》に通う。学校よりも早いものだから、みんなぶうぶう言っている。塾に着くと、まず全員でラジオ体操をして、それから授業がはじまるのだ。

塾へのバスの停留所に行く道は、おじいさんの家の前を通る。学校はおじいさんの家とは反対側にあったので、朝、その家を見るのは、夏休みになってからが初めてだった。

朝は、テレビがついていない。はげ頭も見えない。きっとまだ寝ているのだろう。年寄りが早起きだというのは、嘘《うそ》だということを発見した。

おじいさんの庭のキンモクセイには、すずめがたくさんとまって、ちゅんちゅんやっている。朝の、まだ斜《なな》めに差しこむ太陽の光の下では、ちらかった庭も、のら猫《ねこ》が玄関の前に出してあるゴミのビニール袋《ぶくろ》を破って、プラスチックのお弁当の容器をせっせとなめている姿も、それはそれでけっこういいながめと言えなくもなかった。

たぶん寝坊ばかりしているので、ゴミが出せないのだろう、そう思ったぼくは、玄関の前まで行くと、そのへんに放《ほう》りだされたままのゴミ袋を集めはじめた。今日は月曜日。十メートルほど行ったところの電柱まで持って行けば、OK《オーケー》だ。ゴミ袋を持ち上げると、のら猫が

抗議の声をあげた。すっぱいようなヘンなにおいがむっと立ちのぼる。おえっとなりそうなのをこらえて、猫に「しぃっ。静かに」と言う。どうしてこんなにヘンなにおいになるのだろう。答え。それは、ものが腐《くさ》ったから。バナナも、お弁当のシャケも、缶詰のイワシも、とてもおいしかったはずなのに、いつか腐ってこんなに気持ちの悪いにおいになってしまう。ぼくはなんだかそれが不思議なことのように思えた。ものが腐るのは、ひとつの変化にすぎない。肉が煮《に》えていいにおいになるのも変化なら、お酒が醗酵《はっこう》して甘いにおいになるのも、食べ物が腐ってしまうのも変化なのに、ぼくはそれを『いいにおい』と感じたり、『いやなにおい』と感じたりする。変化にも『いい変化』と『悪い変化』があるんだろう。ぼくの手足がやたらとひょろひょろ伸びるのは、きっと『悪い変化』だ。

ぼくは、ゴミのにおいをぐうっと吸いこんでみた。吐《は》きそうになって、目に涙がたまった時、後ろから声がした。

「木山、なにやってんだよ」

河辺と山下だ。ブロック塀《べい》の切れ目から、二人とも顔だけ出している。

「ゴミ、出そうと思って」

「ゴミ」山下が目をまんまるにした。

「なに考えてんだ、おまえ」河辺が言った。「早くもどってこいよ」

「手伝えよ。ひとりじゃ出しきれないし」

「バカじゃないの」

「おじいさん、寝てるみたいだから」

「なんでオレたちが、ゴミ出ししなくちゃなんないんだよ」

「見張ってる時、くさいのいやじゃない。この間、ヘンなにおいがするって言ってただろ」

「だからって」

「いいから来いったら」

ふたりはしぶしぶ塀のなかに足を踏みいれた。のら猫がすりよろうとして、河辺に足を踏まれてぎゃっと叫んだ。

「ひゃっ」

「山下、静かにしろ」

ぼくは、おずおず突っ立っているふたりに、どんどんゴミ袋をわたした。

「くせぇ」河辺が顔をくしゃくしゃにした。

「新聞紙まで、腐ってる。ひどい」山下は、自分でもうひとつ追加して持った。

「まあ、これくらいのことしても悪くないか。見張らせてもらってるんだから」河辺も観念したらしい。「両手に花、じゃなくてゴミ」

「よし、出してこよう」

ぼくがそう言った時だ。ふいに玄関の扉が、ばこん、と音をたてて勢いよく開いた。ふり

かえりざま、ぼくはおでこを思いきり扉にぶっつけた。

「おまえら、なにしてる」

目の前が一瞬真っ黄色になり、なにが起きたのかまったくわからないまま、ぼくは茫然《ぼうぜん》としていた。

「なにしてるんだ、おまえら」

ちぢみのシャツとステテコ姿のおじいさんが、ぼくの目の前にいた。おじいさんの顔を、こんなに間近に見たのは初めてだった。そら豆みたいな形の顔に、ちょんちょんと黒い点のような目。その目は、こわそうな声のわりに、せわしなく動いている。黄色、というか茶色い歯。下の歯は、真ん中の四本の両側が抜けている。上も、右の糸切り歯がない。頭のはげたところの、つやつやした感じとは正反対に、顔の下半分は、ところどころ黒いのがまじった白い不精《ぶしよう》ひげにごわごわとおおわれている。まるで吸いこまれてしまったように、ぼくはぼんやりと見つめていた。おじいさんの目が、ぼくの目とぴたりと合う。ぼくははっとした。

「ゴミを……」ぼくはようやく言った。

「ゴミ?」おじいさんは、もう一度、ぼくたちをじろじろと見た。河辺と山下もゴミ袋を両手に抱えたまま、凍《こお》りついたように突っ立っている。

「ゴミを出したほうがいいんじゃないかって、ぼくたち思ったんです」

「おまえら、よくうろうろしているな」

ぼくはどきんとした。「べつに……ただ」

「ただ、なんなんだ」

まずい。なんで「ただ」なんて言ってしまったんだろう。「ぼくたち、ただあなたが死ぬのを見張ってるだけです」なんて、まさか言えないし。

「ただ、ゴミを出そうと思って」ぼくは、ほんとうに小さい声で言った。

「嘘つけ」

おじいさんは口のなかでぼそぼそと「油断《ゆだん》もスキもあったもんじゃない」と言った。

そのひと言は、けっこうぼくたちには痛かった。少なくとも今は、ゴミを出そうとしていただけなのだ。それをなんとかわかってもらいたかったが、なんとなくやましいところがあるのもたしかなので、黙っているしかない、そうぼくは考えた。考えたから黙っていたのだけれど、世の中には、あまり考えない人間もいる。

「ぼくたちが、なにか悪いことでもしたって言うんですか」河辺だ。

「やめろよ」山下が言った。

ふん、と言っておじいさんは扉を閉めようとした。

「待てよ。オレたちが、泥棒《どろぼう》でもしたって言うのかよ」

「河辺、やめろ」ぼくは険悪《けんあく》な雰囲気《ふんいき》になってきた河辺の肩をつかんだ。

おじいさんは、もう一度扉を開けた。

「なんだその態度は。え、ひとの家に勝手に入って、なにしようとしてたんだ」

「すみません……ぼくたち……」山下があわてて言ったが、おじいさんはそれにはかまわずに河辺をにらんだ。

「まったく。親の顔が見たいもんだ」

ぼくはやばい、と思った。河辺は親のことを言われるとすごく反応《はんのう》してしまうのだ。案のじょう、貧乏ゆすりがはじまっている。

「……オレのおとうさんはな……オレのおとうさんは、消防士だったんだ。火の中から、逃げ遅れた人を助けようとして死んだんだ！　すごく勇敢だったんだぞ！」

おじいさんは、ばん、と扉を閉めてしまった。

「おい待てよ！　ひとの話が聞けないのかよ！　出てこい!!」

河辺は扉に向かって叫んだ。こうなると、もうぼくらには止めようがない。

「ちっくしょう！　じじい、よく聞け！　オレたちはおまえを見張ってたんだよ！　おまえが死にそうだっていうから、見張ってたんだ！　おまえがどんな死に方するか、オレは絶対見てやるからな！」

荒れ狂っている河辺を、山下とぼくは必死で押さえつけ、道路に連れだした。河辺は突然、しゅん、と黙りこむと、そのまま歩きだした。結局、ゴミは置いてきてしまった。

塾でもぼくたちはなにもしゃべらなかった。算数の小テストの時、ぼくはぼんやり教室をながめていた。前の席の山下の背中はこんもりと丸くなり、鉛筆はあまり動いていない。隣の河辺は、鉛筆を何度も折ってばかりいる。鉛筆のコトコトスラスラという音と、かすかな息づかい、クーラーの低くうなる音におおわれて、教室は水の底に沈んでいるようだった。

用心深い足音が、ぼくの机の横で止まった。先生がぼくの答案用紙をのぞきこむ。ぼくはあわてて問題用紙を引きよせた。

おじいさんは、河辺の声を扉《とびら》のむこうで聞いていただろう。ぼくは、間近で見たおじいさんの目が忘れられなかった。それはいくぶん疑《うたが》い深そうで、ずるそうな目つきと言えなくもなかったが、ぼくはあの時、小さいころ飼《か》っていた犬の目を思い出したのだ。

その犬は、ほんとうに年寄りで、散歩にも行きたがらず、おしりに糞《ふん》のかけらをつけたまま、庭のすみでいつも寝ていた。ぼくが生まれる前、まだおとうさんとおかあさんが二人きりだったころには、よく川原に連れて行ってやったそうだ。そいつが川風に吹かれて、喜びと興奮のあまりオシッコをもらすほど駆けまわっていたなんてことは、ぼくにはちょっと信じがたかった。ぼくにとってその犬は、なんだかきたならしい古毛布みたいなもので、ときたまかまうとすれば、しっぽを引っぱったりするくらいがせいぜいだったから、そいつはぼくが近づくと迷惑《めいわく》そうに横を向いたものだ。ある日、獣医《じゅうい》さんが来て、注射を打った。おかあさんが「チロは、あしたの朝、死ぬから」と言った。

ぼくはその夜、犬のそばにしばらくいた。犬は横を向く気にもなれないらしく、ぼくのことを大きな黒目でただ見ていた。不安そうに。そしてその不安が、ぼくにはすごくよくわかった。ぼくも不安だったのだ。突然、なにか大切なものが自分をおいて行ってしまうような、わけのわからない気持ちにとらわれて、ぼくはおかあさんに無理やりベッドに連れて行かれる時、泣きだしてしまった。

翌朝、犬は段ボール箱のなかに入れられていた。中を見ては絶対にいけないとおとうさんが言った。ぼくはあの時、なぜ、どうしても見たいと言わなかったんだろう。それは箱の中に閉じこめられたまま、葬《ほうむ》られてしまった。ぼくはそうやって、いろいろなことを見過ごしているような、そんな不安に今でもおそわれるのだ。あの夜の犬の目を思い出すたびに。

午前中で塾《じゅく》は終わり、バス停のベンチで、ぼくたちは黙々とパンを食べていた。最初に山下が死んだおばあさんの話をした、あのベンチだ。

「今日、プール行こうよ」山下が、沈黙に耐《た》えきれなくなって言った。今日は学校のプールの開放日だ。

「いいね」ぼくは賛成した。

「ね、行こう」

河辺は、さっきからメチャクチャにパンを口のなかに突っ込んでいる。

「行かない」河辺はやっとのことでパンを飲みこむと、暗い声で言った。

「見張りなんて、やめたほうがいいよ、もう」山下が、なさけなさそうに言った。「第一さあ、あのおじいさん、すぐには死にそうに見えないし」

それを聞くと河辺は、じいっと地面をにらんだ。山下とぼくは顔を見合わせた。ぼくは、お刺身《さしみ》の時の、河辺の『毒入り発言』を思い出して、ちょっと不安になった。

河辺はふたつめのカレーパンを口のなかに突っ込むと、立ち上がった。しかたない。ぼくも山下も、つきあうしかないな、と観念した。河辺をほっておいたら、なにをしでかすかわかったもんじゃない。

おじいさんの家の、縁側のガラス戸は、暑いのに閉めきったままだ。一度、がらがらという音がして、窓が開いたが、ぼくたちがいるとわかったとたん、おじいさんは窓をぴしゃり、と閉めた。次の日は、また窓ががらがらと開き、おじいさんが出てきたと思うと、ぼくたちに向かって、バケツの水を思いきりぶちまけた。水は塀《へい》に、ばしゃん、とぶつかっただけだった。

「ザンネンでした」河辺がにんまりした。

ぼくたちはあいかわらず、おじいさんの買い物も尾行《びこう》する。でもそれは、もう尾行なんて言えるものじゃなかった。河辺はおじいさんの後ろ姿をぐっとにらみつけながら、どんどん

ついて歩くのだ。隠れようともしない。おじいさんが、ぼくたちをぱっとふりかえる。するとぼくたちはぱっとその場に立ち止まる。

「だるまさんがころんだ、なんちゃって」山下が、えへらえへらと言ったけれど、河辺がぜんぜんのってこないので黙った。

どうしてだろう。おじいさんはこのごろ、よく食べるようになってきた。買い物も毎日行く。もう、コンビニにしか行かないなんてことはない。八百屋《やおや》で青いものをほんの少しと、魚屋でお刺身を買ったりもする。

「あのお刺身が、よっぽどおいしかったんだ」山下が言った。「でもどうせ買うなら、うちで買えばいいのに」

河辺が舌打ちした。「やっぱり、毒を入れておくべきだった。くそじじい」

夕方の商店街で、ぼくたちはまた、おじいさんを見失った。例によって三方に散って商店街の人ごみを駆けずりまわっていると、河辺に出くわした。

「見つかったか」

ううん、と首をふると、河辺はぼくと並んで歩きはじめた。

「またどうせ帰ってるだろうから、家のほうで待ってたほうがいいかな」

河辺はなにも言わない。すごくむし暑かった。夕立が来そうだから、おじいさんもそろそ

ろ帰るだろう。傘《かさ》は持っていなかったはずだ、そんなことをぼくは考えていた。

「オレのおとうさんさ」ふいに河辺がしゃべりだした。

「うん」

「死んでなんかいないんだ」

ぼくは河辺を見た。やつは買い物客でごったがえす商店街を、一直線ににらみつけている。

「子どもがいるんだ、オレとは別の。その子どもには、おかあさんがいる。オレのおかあさんとは別の」

河辺はそう言うと、死ね、とつぶやいた。それが、晩のおかずを買いにきたおばさんたちに言った言葉なのか、おじいさんに言ったのか、おとうさんに言ったのか、別の子どものおかあさんに言ったのか、ぼくにはよくわからない。

「嘘《うそ》ついて、ごめん」

「ううん」ごめん、なんて言われるとは思ってもいなかった。

「木山！」山下が手をふっている。「こっちこっち！」

おじいさんは郵便局の前にいた。ひとりでポストに寄りかかるようにして、きょろきょろしている。

「だれかを探しているのかな」山下が、様子をうかがいながら言った。

「だれかって、だれだよ」おじいさんのほうに歩きだそうとしていた河辺は、ぴた、と止ま

った。

だれも現れる様子はなかった。もう一度、ぐるりとあたりを見まわしたおじいさんの目が、ぼくにぴたり、と合わさった。するとおじいさんは、すたすたと歩きはじめた。

「もしかしたらさ」山下が、河辺を小走りに追いかけながら言った。「オレたちのことだったりして」

「んなわけないだろ。バーカ」

そんなわけはない。そんなわけはないのだけれど……山下がぼくの顔を見ている。ぼくは「さあね」と首をかしげた。


その翌日。ぼくたちはあいかわらずかんかん照《で》りの中、塀《へい》にはりついていた。あまりお陽《ひ》さまに当たりすぎて、すっかり頭のなかがからっぽになってしまったころになっても、おじいさんは窓のそばにあらわれない。テレビもついていない。早めに買い物に行ったのだろうと待っていたが、それから一時間以上たっても、おじいさんは帰ってこなかった。

「家のなかで、たおれているのかも……」山下は不安そうだった。

「急すぎるよ。きのうあんなに元気だったのに」ぼくが言った。

「オレのおばあさんもそうだったよ。死ぬ前の日まで、ご飯の支度《したく》をしていたって」

それからさらに一時間たっても、家のなかはことりとも音がしなかった。河辺はくちびる

をぐっと結んで、窓を見つめている。それからゆっくりと、玄関の扉を見つめ、また窓を見つめた。だいぶ前から貧乏《びんぼう》ゆすりがはじまっている。「おい、しっかりしろ」そう言ったものの、ぼくも声がふるえた。

セミがうるさい。きっとキンモクセイにとまっているのだろう。ぼくたちの背中を、一台のクルマが通りすぎる。そしてまたセミ。

「オレさ」河辺が小さな声で言った。「すぐかっとなる。言いすぎちゃったよな」

気にするな、とぼくは言いたかったのだが、言葉が喉《のど》の奥でからまった。気にするなと言うほうが無理というものだ。

「オレ、小さいころから目がすごく悪いだろ。だから短気《たんき》なんだ」

「短気と目が悪いのと、どう関係があるんだよ」

「あやまっておけばよかった」河辺の顔がゆがんだ。

「ちょっとノックしてみようか」山下が、おそるおそる言った時だ。からからから、とゆっくり窓が十五センチほど開いた。ぼくたちは息を殺して窓を見つめた。やがて、おじいさんのやせたしみだらけの手だけが、ぷるぷるとふるえながら現れた。墓石《はかいし》の下から、はいあがってくるゾンビの手みたいに。

「どうしよう、ねえ、どうしよう。きっと死にそうなんだ」山下はつま先立ちのまま、おろおろうろたえた。

「どうしようって」

「どうしようどうしよう、ねえ、どうすんだよ」

河辺は体を硬直《こうちょく》させ、目を見開き、喉《のど》の奥からぐぐぐっとヘンな音をたてている。

「河辺！」

そのゾンビの手と、今にも口からアワをふきそうな河辺と、どちらを見ているべきかわからないまま、ぼくの首は、にわとりみたいに左右にせわしなく動いた。

「あれ」

おじいさんの手が、ぴたり、と止まった。と思ったとたん、その手は人さし指と中指をぴんと立てた。つまり、V《ヴィ》サインしたのだ。ぼくらに向かって。

「くっそーっ、ふざけたまねしやがって！」

河辺は、頭から湯気が出るほど怒《おこ》っている。

「なめてるよな」ぼくも本気で心配したぶん、頭にきていた。

「なんかオレたち、完全に遊ばれちゃってるみたい」山下が困ったような、笑いだしたいような顔をした。

「うるさい!!」

河辺はメガネがずれているのも直さずに、ずんずん歩いて行く。山下とぼくは、小走りに

あとを追った。

「あれは絶対、オレたちへの宣戦布告だ」河辺は急に立ち止まると、くるりとふりかえった。「いいか、オレは絶対にあのじじいを見張り続ける。おまえらがなんと言おうと、ひとりでも続けるからな」

「いいよ」ぼくが言った。「こうなったら徹底的にやろう」

ぼくのなかにいくぶんあった、やましさみたいなものは、きれいさっぱりなくなっていた。むこうが宣戦布告するんなら、やってやろうじゃないか。

「けっこう、ずぶといよなあ」山下が言った。

それは言える。あいつは殺したって死にそうにない。

5

おじいさんは庭を片づけている。古新聞のつまった袋《ふくろ》や、ゴミや、漬物桶《つけものおけ》や、片っぽだけになってしまったゲタやらを、せっせと集めては、玄関の前に少しずつ積み上げていく。はげ頭に太陽がかんかん照りつけている。

このところ、すごく暑い日が続いていた。塾《じゅく》の先生は「この夏が勝負だ。辛抱《しんぼう》しろ」と毎日のように言っている。新聞には、ぎっしりと人でうまった砂浜の写真や、閉めきったクルマのなかの子どもが暑さのために死んだとか、冷房病の対策とか、そんなことばかりが繰り返し、繰り返しのっていた。まるで同じ日が、永遠に続いてくみたいに。なにもかもが、夏の日ざしの下におさえつけられていた。そうしてぼくたちは、そんな息苦しい毎日からの出口を探していたのかもしれない。

隠れようともせずに、塀《へい》に張りついたまま、ぼくたちはおじいさんを見ていた。こそこそするのがなんだかバカらしくなったし、ぼくの場合、頭がとびだしすぎないように膝《ひざ》を曲げているのは、けっこう疲れるのだ。ぼくの背は、ぐんぐん伸びている。『ジャックと豆の木』の豆の木にでもなったみたいな気分だ。くるくる巻いたつるなんかが、ひょろひょろ伸びる豆の木だ。

おじいさんはもう、ぼくたちに水をかけたりしない。あっちへ行け、とも言わない。ときどき「よいしょ」とか「こりゃたいへんなもんだ」とかひとり言を言いながら、動きまわっている。あのひとり言は、ほんとうにひとりっきりの時には言わないんじゃないか、ぼくにはなぜか、そんなふうに思えた。

「はりきってるよ、なあ」山下が、塀から目だけ出したまま言った。やつの背は、いつのまにか河辺《かわべ》と同じくらいになって、背のびをすれば、楽にのぞきこめるようになっていた。

「前はテレビばっかり見て、ほんと、生ける屍《しかばね》って感じだったのに。どうしちゃったんだろ」

ほんとにどうしちゃったんだろう。きのうの夕方なんか、おじいさんは天ぷらをあげていた。油のいいにおいがぼくたちのところまで届いてきて、おなかがぐう、と鳴ってしまった。

「意地になってるんだぜ」河辺が言った。「オレたちが見てるもんだから、カラ元気出しちゃって。かわいくない」

たしかに人に見られていると、はりきるというのは、ある。ぼくは、自分の部屋にひとりでいると、なんだか勉強がはかどらないのだけれど、台所のテーブルでおかあさんが料理していたりするそばでやると、すごく集中できるのだ。でも、おとうさんは「自分の部屋でやれ」と怒るし、おかあさんはお酒を飲んでいるしで、このごろは塾のない日も自分の部屋にいることが多くなった。おかあさんがお酒を飲んでいるのを見るのは、あまり好きじゃない。

なんだか、ぼくの知らないところへ行ってしまっているようで、ぼくは落ち着かなくなる。

「なにやってんだよ、おまえら」

言われてふりむくと、杉田と松下だった。まずい。

「おまえら、いつもここんち、のぞいてるだろう」

「別に」

「知ってるんだぜ。プールにも来ないで、なにやってんだよ」

「カンケーないだろ」

「あ、そう」杉田はその細いあごをちょっとつきだして言った。「でぶ。おれのおかあさん、おまえんとこでサカナ買ってるんだ」

「そ、それがどうしたんだよ」山下は、蚊《か》のなくような声で言った。

「おかあさんに聞いてもらおう。『山下くん、このごろ、よそのお宅《たく》をのぞいてますけど』って」杉田はいやらしい声色《こわいろ》を使って言った。山下は、さっと青くなった。

「人んちのぞくなんて、サイテー」杉田が言った。

「サイテー」松下が繰り返した。

「プライバシーのシンガイ」杉田が言った。

「シンガイ」松下が繰り返した。

「警察につかまるぜ」

「つかまるぜ」松下はバカだ。

「もしかしたら、おまえら」杉田が、声をひそめて言った。「強盗でもやろうっての」

「なんだと」

「河辺、行こうよ」山下が河辺の腕をつかんだ。ぼくは、塀《へい》のそばからなるべく離れようとじりじりと動いた。

「ただ、ちょっと気になっただけだよ。ここのおじいさん、ひとり暮らしだから」ぼくが言った。

「ときどき手伝ったりするんだ。ゴミ出したり」

「嘘つけ」

杉田にそう言われて、ぼくはおじいさんにも同じ言葉を言われてしまったことを思い出した。ぼくはそれ以上しゃべれなくなった。その時、

「なにやってる」

おじいさんの声が、庭から聞こえた。ふりかえると、おじいさんはたらいにいっぱい洗濯《せんたく》物《もの》を入れて庭の真ん中に立っている。

「お、新顔か。まあ来い。今からこれを干す」

ぼくは一瞬、どう答えたらいいものやら、頭のなかがぴた、と止まってしまった。杉田と松下は、ぼくたちの様子をうかがっている。杉田の余裕たっぷりな「オレは知らないよ」的

な目つきと出会うと、ぼくはほとんどヤケぎみに叫んでいた。

「オッケー！」

そうしてずんずん庭に入って行った。山下と河辺があとに続く。杉田と松下はぱたぱたと走って行ってしまった。


「おい、いちばん背の高いの」

おじいさんはぼくにロープをわたした。麻の、荷作り用のごわごわしたロープだ。「その木にしっかり止めて」

ぼくはキンモクセイのいちばん下の枝のところに足をかけ、幹《みき》にロープを巻きつけて、結ぼうとした。したのだけれど、なかなかうまくいかない。手がちくちくする。こんなに太いものを結ぶのは初めてだ。

「だいじょうぶか」

ロープを思いきってぐっとつかみ、コマ結びを二重にした。よし、OK《オーケー》。

おじいさんは、ふみ台を出してきて、ロープの真ん中あたりを雨《あま》どいを止めている太い金《かな》具《ぐ》にくくりつけた。それから、ロープのもう一方の端をぼくにわたすと、庭のすみにうっちゃってあった、どういうわけか片方だけになってしまった物干し台に結ぶように言った。

「ぴんと張るようにしなくちゃだめだぞ」ぼくがまごまごしているとおじいさんがやってき

て、ぐっと息をつめるように力をこめてロープを引っぱった。おじいさんの背は、ぼくより少し高いだけだ。しみだらけの手は、骨が浮き出て力がありそうには見えなかったけれど、ロープはみごとにぴしり、とおさまった。前にテレビで、漁師《りょうし》の人が、船のとも綱を結んでいるのを見たことがある。そっくりとはいわないけれど、あの漁師の人の手つきをぼくは思い出した。

こうして庭にV《ブイ》の字を描くようにロープが張られると、おじいさんは縁側に置いていた洗濯物の入ったたらいを山下に持たせ、洗濯ばさみのカゴを河辺にわたした。ぼくが、山下の持っているたらいから洗濯物を受けとっては、ロープにかける。それを河辺が洗濯ばさみで止めていく。河辺の背のとどかないところは、ぼくが洗濯ばさみもとめた。プラスチックの洗濯ばさみは、長い間、陽にさらされて、がさがさになっている。

「だめだよ、しわをのばして干さなくちゃ」河辺はそう言いながら、ぼくがひっかけた洗濯物をぱんぱん、と伸ばしたりしては、ぱっぱっと洗濯ばさみで止めていく。すごく手ぎわがいい。

「さっきの杉田と松下の顔、見たか」河辺は、手を休めずに、ひそひそ言った。

「見た見た」

「オレたちがほんとにここに入ったらさ、ぽかん、としちゃって」

「そうそう」

「おかしかった」

「うん、ほんと、びっくりしてた」

「うまいじゃないか」おじいさんが、縁側に座《すわ》りながら言った。

「え」

「おまえじゃない。そこの、そのメガネのやつ。勉強はどうだか知らんが、干し物はうまい」

河辺はちぇっと舌打ちしたが、まんざらでもなさそうだった。そうしてぼくに、

「干すのはオレの仕事なんだ、うち」と小さい声で言った。おかあさんが働いているからだろう。河辺が洗濯物を干してる姿なんて、ぼくは想像してみたことさえなかった。

タオル三枚、首のところの伸びきったシャツ四枚、ゴムのゆるんだステテコ二枚、同じくゴムのゆるんだパンツ五枚、けばだったぶ厚い靴下《くつした》二足、日本手ぬぐい一枚、シーツ二枚、綿《めん》のズボン一枚、まくらカバー一枚、布団《ふとん》カバー一枚。

「よしよし。持ってるもの、全部洗った」

ぼくたちがすっかり干し終えると、おじいさんは縁側で満足そうに言った。そういえば、おじいさんが洗濯物を干してるところなんて、一度も見たことがなかった。

ロープはぼくの目の高さくらいにたわんでいる。洗濯物のそばに立っていると、洗剤《せんざい》のにおいの湿《しめ》った冷たい風が、汗をかいた肌《はだ》に、すうっとしみこんでいくのがわかった。

「おい、行こうぜ」河辺が言った。「もう用はすんだんだから、早く」

そうだね、とぼくは言ったものの、また、塀《へい》の外で突っ立っているのかと思うと、ちょっと気が重くなった。

「ほらこれ」おじいさんが、家のなかから調子のいいかけ声のようになにか言った。「これ」

縁側に出てくると、おじいさんはぱんぱんになったコンビニの袋《ふくろ》を河辺にぽん、とわたした。ぼくたちはその袋に注目した。なんだろう、もらっていいのかな。

「ゴミ。玄関の脇《わき》にまとめてあるから」

「おい、いい気に……」河辺が言いかけた時だ。山下が河辺の腕をつっついた。

「なんだよ」

「杉田。また来てる」

「……ほんとか」

「うん。今、見えた」

ぼくたちはしかたなく、その袋を運んだ。玄関の脇は、もうゴミの山になっている。

「どしてこんなにゴミが出るんだろう」山下が言った。

「ためてたんだから」ため息をついたのは、ぼくだ。

「そうだよな。歳《とし》とってるぶん、たくさんたまっちゃってる」

「いいか」河辺が目を光らせて言った。「じじいとは、よけいな口をきくな。オレたちは、

お友だちじゃないんだからな」

「わかってるよ」山下がもごもご言った。

「わかっちゃない。オレたちは、オレたちの目的だけを……」

「明日は何曜日だったかな」うしろからおじいさんが、ふいにきいた。

「金曜日」とっさに答えてしまってから、河辺はしまった、という顔をした。山下がにやにやしている。

「じゃ、ゴミの日だ」おじいさんが言った。

「それがどうしたんだよ!」河辺が怒鳴った。

6

ぼくたちは翌朝、ゴミを出した。河辺《かわべ》は最後までいやだ、と言っていたけれど、ぼくが説得した。杉田とおじいさんに「嘘《うそ》つけ」と言われたのが、気になっていたのだ。三人で、電信柱とおじいさんの家を五回往復すると、おじいさんの玄関のまわりは、すっかりさっぱりとした。

「まだ寝てんのか。ふざけたじじいだ」河辺が縁側のほうをのぞきこんだ。窓は閉まっていた。

午後、塾《じゅく》が終わるとぼくたちは、塀《へい》のそばで、うろうろしていた。また今日も、ここにいるのを杉田たちに見られるのは、絶対にまずい、と山下が言いだしたのだ。

「じゃ、どうすんだよ、やめるのかよ」河辺が陰気な声を出した。

「しかたないじゃない」

「オレはやだね」河辺はまた、塀にはりついた。「やめるんなら、おまえ、やめれば」

山下は、泣きそうな顔でぼくを見た。どうしたらいいんだろう。河辺だって、山下の言うことが、まるでわからないわけではないのだ。その証拠《しょうこ》に、塀にはりつきながらも、ちらっとまわりを見まわしたりしている。やっぱり落ち着かないのだ。

「やめとこうよ、やばいよ」山下がもう一度、河辺にすがるような声をかけた時、縁側に面した窓がガラガラと開き、おじいさんが大きな声で言った。

「こんなに草が生えていると、蚊《か》が多くて窓も開《あ》けられん」

ぼくたちは草とりをはじめる。思ったとおり、杉田と松下はやってきたけれど、蚊をぱちんぱちんとたたきながら、もくもくと仕事をしているぼくたちを見ると、目をまんまるくして行ってしまった。

おじいさんの庭は、草ぼうぼうだ。人の住んでいないところみたいに。よけいなゴミが片づいたぶん、それが目立つようになった。手ぬぐいをかぶって、縁側に座ったおじいさんは、「もっと指先に力を入れて」とか「根っこから抜け」とか「しっかり働け」とか、いろいろ言う。

「自分もやったらどうなんだよ」河辺が口のなかでぶつぶつ言うと、

「膝《ひざ》が痛くて、ようしゃがめん」とすましている。

「ちぇっ、年寄りのくせして耳がいい」河辺は、今度はおじいさんにはっきりと聞こえるように言った。おじいさんは、聞こえないふりをした。

「オレたちさ、いいように使われちゃってる」山下が言った。

「弱音《よわね》を吐《は》くな。初志貫徹《しょしかんてつ》のためだ」河辺は山下を見もせずに答えた。汗が流れて、メガネがずり落ちている。何度持ち上げても、またずり落ちる。山下は太っているせいか、しゃが

んでいると、すぐバランスを失う。えい、と草を抜くたびに、ころんとしりもちをついてしまうので、能率が悪いことこのうえない。ぼくも足の裏と指先が痛い。我慢《がまん》していると今度は背中が痛くなってくる。

「木山くーん」

草とりをはじめて三日目。すっかりきれいになるまで、あともう一歩だ。塀《へい》のところから呼ばれて見ると、同じクラスの田島ともこと酒井《さかい》あやこがいた。

「や、やあ」

夏休みに入って以来、会うのは初めてだった。ぼくはちょっとあがった。田島と酒井はクラスでいちばんかわいいのだ。男子の間では「田島派か、酒井派か」とひそかに投票が行われたりしている。田島は、いつも日焼けしていて、目もとが少し切れ長で、鼻筋《はなすじ》がすらりとしていて、小さな口もとはちょっと受け口。スポーツ万能《ばんのう》。家にテニスコートがあって、おとうさんとテニスをする時がいちばん楽しい、と言っている。いつもにこにこ笑ってるところがアイドルタレントみたいな酒井は、うすいピンク色の頬《ほお》に細いうぶ毛が金色に光っているのが見えるくらい色が白い。桃《もも》の妖精《ようせい》みたいだ。ぼくは田島派。山下は酒井派。河辺はどちらでもない。

今日はふたりとも、ラケットを持っている。サンバイザーなんかして、少し大人っぽい。きっと田島の家でテニスをするんだろう。

「木山くんたち、おじいさんのお手伝いしてるんだって。えらい」田島が言った。

「おかあさんが、あなたたちもなにかお手伝いしたらって」酒井は目をぱちぱちさせながらぼくを見た。ぼくは、田島派のくせに、耳がかあっと熱くなってしまう。

こっちに来たら、と思いきって言おうとした時、河辺が言った。

「悪いけど、これはオレたちがやろうと決めたことなんだ。最後までオレたちだけでやる」

ふたりは、へえーっ頼もしい、というように顔を見合わせると、あ、と玄関のほうを見た。おじいさんがスーパーの袋をさげて立っている。いつのまに出かけたんだろう。草とりに夢中になってしまって、ぜんぜん気がつかなかった。

田島と酒井は「きゃあっ」と声をあげると、なんだかそわそわとおじいさんを見ている。有名人かなんかにでも会ったみたいに。おじいさんは、よれよれのズボンとだらりとした灰色の半袖《はんそで》シャツを着て、スーパーの袋をさげたまま、なにがなんだかわけがわからず、突っ立っていた。女の子たちが声をそろえて、こんにちは、とあいさつすると、不精《ぶしょう》ひげにおおわれた口もとをすぼめるようにして、こんにちは、ともぐもぐ言った。ぼくたちに「おまえら」とかなんとか言う時とは、ずいぶん様子がちがうので、ぼくはびっくりした。

「今の聞いた?」山下が、横目でぼくを見ている。「やっぱり女って、得してる」

「かもね」

じゃあがんばってね、とぼくらににっこりすると、ふたりは行ってしまった。

「帰すことないのに」ぼくは、ぶつぶつ言った。

「そうだよ」山下も同意した。「手伝ってくれるっていうのに」

「バーカ。おまえらの顔、見ちゃられなかったぜ」河辺はべえっと舌を出した。


ぼくたちは、がぜん気合を入れて作業に打ちこみはじめた。だらだらおしゃべりなんかしなかったし、ここがおじいさんの庭だということも、塾のことも、今が六年生の夏休みだということも、おとうさんのことも、おかあさんのことも、みんな忘れてしまったように、ただそこに草があるから、抜く。家に帰ると、ご飯を食べ、お風呂《ふろ》に入り、塾の宿題をなんとかすませて、あとはばったり眠る。夢なんか見ない。もちろん、お化けの夢なんか。

翌日の夕方、草とりは完了した。乾《かわ》いた土の上に立っているのは、ぼくたちとキンモクセイの木、そうして洗濯物《せんたくもの》を干すV《ヴィ》の字のロープだけだ。ゴミもなし。草もなし。縁側にはすっかり乾いた洗濯物が、ほっこりと積んである。このごろおじいさんは、よく洗濯をするのだ。

「やったね」山下が言った。

「うん」

「すごく庭が広くなったみたい」

「前とちがうところみたいだね」

「ほんと」

ぼくたちは、いい気分だった。

「切れ」おじいさんが、家のなかから大きなすいかを持ってきた。縁側には包丁《ほうちょう》とまな板が置いてある。蚊《か》とり線香《せんこう》と乾いた洗濯物のいいにおいに誘われるように、ぼくたちは縁側に座《すわ》った。

おじいさんはすいかをぽんぽん、と叩《たた》くと「よく熟《う》れてる」と言った。外から叩いただけで、どうして中身のことがわかるんだろ。山下が河辺の頭をぽんぽん、とまねして叩いた。

「なんだよ」

「入ってますか」

河辺は、このーっ、と山下の頭を叩き返そうとした。山下は頭を抱えて、けらけら笑っている。河辺がその上にのしかかり、山下が「ひいっ、つぶれるぅ」と叫んだ。

「じゃれるなよ、おまえら」ぼくが言うと、河辺がぼくの頭を叩いた。

「はいおしまい。これであいこ」

「なんだよ、それ」

山下はますますけらけら笑っている。ぼくは頭をすこん、と叩いてやった。

「いってーっ！」

「うるさいやつらだ」おじいさんがあきれた。「帰れ」

「帰るよ、すいか食べてから」河辺が答えた。おじいさんと口をきくな、なんて言ってたくせに。

「いやなガキだ。じゃ、早く食え」

「これってさ、植物の実なんだよね」河辺はすいかをそろり、となでた。「でかい実だよな。最初に見た人はびっくりしただろうな」

「おまえ、切れ」おじいさんが、河辺に言った。

「だめだよ」

「なんで」

「切ったことない」

「すいかも切ったことないのか」

「切ってあるの、買ってくるから。食べきれないじゃない」河辺が答えた。

おじいさんは「そうか」と言って、ちょっとすいかを見た。おじいさんだって、すいかをまるごと買ったのなんて、ずいぶん久しぶりにちがいないのだ。

「やってみたら」山下は河辺に言うと、「あ」と包丁を手に取った。そうして「ちょっと」と立ち上がり、道路のほうにそのまま出て行こうとして、あわてて包丁を縁側に置いた。

「どしたんだよ」

「すぐもどる。待ってて」

十分くらいして、山下は息をはあはあさせてもどってきた。習字の墨《すみ》をでかくしたようなものをにぎりしめている。おじいさんはそれを見ると、お、という顔をした。山下は、にこっとした。ぼくにはなんのことだかわからない。

「台所の流し」おじいさんが言った。山下はスニーカーをぬぐと、包丁を手に取って、ずんずんなかに入って行く。いちばん奥の、小さな窓の開いた流しで、その四角い石みたいなものを水にぬらすと、しゅっしゅっとなにかをこするような音がしはじめた。

「なにしてるの」

山下はこっちを見ない。おじいさんが、サンダルをぬいで家の中に入って行ったので、ぼくと河辺もそのあとに続いた。

コタツは、いつのまにか片づけられていた。六畳《じょう》ほどの畳《たたみ》の部屋には、小さなおぜんとテレビ、テレビを乗せている小さな引き出し、たんす、押し入れ、目につくものと言ったら、それくらいなものだ。そばがら入りの小さな青いまくらが出しっぱなしになっているのをのぞけば、さっぱりと片づいている。どこかのおみやげのこけしだとか、ほこりに色あせた造《ぞう》花《か》だとか、そういう飾りみたいなものは、酒屋のカレンダーさえない。さっぱりしすぎているくらいだ。

その奥の台所は、うす暗く湿《しめ》ったにおいがした。古い家のにおいだ。木の床《ゆか》がひんやりと足のうらに吸いつく。右手は玄関、左手はたぶん、お風呂《ふろ》とトイレだろう。流しの前のつり

棚《だな》には、小さなお鍋《なべ》がふたつ。洗いカゴには、湯飲みがひとつだけ、ぽつんとあった。

山下は、右手で包丁の柄《え》をぐっと握りしめ、包丁の刃《は》を石の上で、規則正しく往復させていた。左手の四本の指をぴっとそろえて包丁の刃にあてがっている。口もとがひきしまり、真剣そのものの顔をしている。

「包丁、研《と》いでるんだ」河辺が感心した。

「うまいもんだ」おじいさんが言った。

「うち、魚屋だから」山下が、手を休めて言った。「おとうさんなんか、もっとうまい」

山下は、包丁の位置をちょっとずらすと、また研ぎ始めた。

「なんだって切り方で、ぜんぜん味がちがうものだよ」山下は、それだけ言うと黙って研ぎ続けた。しゅっしゅっという音と、庭のセミの声だけが聞こえる。とても静かだ。

「おまえも魚屋になるのか」おじいさんがきいた。

「どうかな」山下は、魚の背のように、銀色に光りはじめた包丁の刃をじっと見ながら言った。時代劇で、侍《さむらい》が刀の手入れをしているみたいに。

「おかあさんは、おとうさんみたいなちっぽけな魚屋になってどうするのって言うんだ。ろくなお嫁《よめ》さんだって来ないわよって。だから勉強して、もっとちがうことをしろって」

ちょっと動きが止まる。包丁を裏返す。山下は手を持ちかえて、また研ぎ始めた。

「でも、ぼくはおとうさんの仕事、いいなあって思うよ」山下はそれだけ言うと、親指を包

丁の刃にあてて、ちょっとたしかめるようにさっさっとなでた。

「う、あぶない」河辺が言った。

「だいじょうぶ」山下は笑った。こんな自信たっぷりな山下を見るのは初めてだ。

「指、切ったことある」ぼくがきいた。

「あるよ」なんだそんなこと、と言わんばかりだ。「でも、こわがってさわらないでいたら、いつまでたっても使えないから」

「いいこと言う」おじいさんが言った。

「おとうさんが、そう言ったんだ」山下は、へへ、と笑った。「オレが手をひどく切って、まな板によりつかないでいたとき。包丁は、人を殺すこともできるし、おいしいものを作って、人を元気づけることもできる。使い方次第だって、ね。もう、イワシやアジを三枚におろすのくらい、やれるよ」

ぼくたちは、ほんとに感心してしまった。山下は「さあ、これでよし」と縁側をふりかえった。ひんやりした台所から見る庭は、四角く切り取られた光の箱のように、夏の陽が踊っていた。

さくっと包丁を入れると、すいかは待っていたようにぱくりと割れた。

「うん。よく熟れてる」おじいさんが言った。

ている。

「いい感じ」河辺は、初めてすいかを切った感触をたしかめるように、包丁をうっとりと見ている。

「気をつけろよ。なんとかに刃物《はもの》って言うから」おじいさんが、にやにやしている。

「なんとかって？」

「知らない」山下が賢明にもとぼけたのか、それともほんとに知らなかったのか、それは謎《なぞ》だ。

すいかは、赤い果肉《かにく》のなかで眠っていた黒い種の兵隊たちが、ぴょんぴょん飛び出してきそうなほど、みずみずしい。半分に切ったのを四分の一にし、さらにそれを半分にすると、ぼくたちはかぶりついた。喉《のど》がからからだったので、ほんとにおいしい。おじいさんは、自分のをもう半分に切って、小さく用心深そうに口を動かしながら食べている。

「うまいか」

「うん」

「ああ、労働したあとのすいかはうまい」山下が目を細めて言った。

河辺がシャツをぬいだ。「すいかの汁、シミになるからな」

「あ、そうか」山下とぼくも上半身はだかになった。ぜんぜんプールに行っていないので、ぼくたちのおなかはカエルのように白い。腕にはシャツのあとがくっきりついている。

「草とり焼けだよね、これ」ぼくが言うと、おじいさんが、ははは、と笑った。いつもの、

ふふん、という笑い方じゃなかった。

「おまえらさ、たして二で割るとちょうどいいんじゃない」河辺は、あばら骨ごつごつのぼくと、山下を見くらべている。

「よけいなお世話」ぼくが言った。

「そうそう、よけいなお世話」山下が言う。

河辺はぼくほどやせていない。でもぼくは、なんだか透《す》きとおるような、魚みたいな河辺の体を見ていると、やつがひどく弱々しいような気がした。背だって最近山下に追いこされてしまったままだ。はだかになると、細い鼻筋《はなすじ》にのったメガネだけが、すごく重そうに見える。

「メガネ、とったら」

「なんで」河辺はすいかにかぶりつきながら言った。丸めた背中に、背骨がくっきりと浮きだしている。

「なんでって。別にいいけど」ぼくはなんだかいらいらした。

「あした、何曜日だっけ」ふいに河辺がきいた。

「えっと」

「水曜日」おじいさんが答えた。

「じゃ、ゴミの日だ」河辺は食べ終えたすいかの皮をつまんで言った。

「あ」山下が、空を見上げた。「雨だ」

乾いた白っぽい土の上に、黒いしみがいくつもできていく。やがてそれは庭全体に広がり、大粒《おおつぶ》の雨の降る音が、ぼくらの耳をおおった。湿《しめ》った土のにおいと、蚊《か》とり線香《せんこう》のにおいが、強く立ちあがる。

「秋になったら、なにか種を蒔《ま》こう」おじいさんの声が、雨の中をぬうようにしてぼくの耳に届いた。「キンセンカかなにか」

「秋にならなくたって、いいよ。あした、蒔《ま》こう」河辺はやろうと思いたつと待ってなんかいられない。

「せっかちだな、おまえ」おじいさんが河辺を横目で見た。

「夏には種蒔《ま》き、しないんじゃないの」山下が言った。

「かまやしないよ。土のなかで、待ってりゃいいんだから」

「そうだよね。あしたやろう」ぼくが言うと、山下は「そうかなあ」という顔をした。

「山下、なにがいいと思う」

「うーん」

「ユキオコシ」おじいさんが言った。

「スイセン」河辺が言った。

「スミレ」ぼくが言った。

「ダイコン」山下が言った。

「なんだよダイコンなんて」河辺がうんざりした。

「花、咲くんだぜ」

「そうそう」おじいさんが言った。「白い菜《な》の花みたいな」

「へえ、知らなかった」

「オシロイバナ」ぼくが言った。

「ナデシコ」河辺が言った。

「ノギク」山下が言った。

「ヒガンバナ」おじいさんが言った。

アネモネ、カタクリ、ヤマブキソウ、ノボタン、キツネノカミソリ、キリンソウ、ツリガネソウ……。

おじいさんは、ぼくたちの知らない草花の名前を、次から次へと並べた。ぼくたちは、おじいさんの声を聞きながら、それぞれの花畑を夢見ていた。そうして、なにもなくなった庭に降る雨をただ見ていた。すっかり生まれかわり、新しくなにかが根づくことを待っている土に、天から水がまかれる音を、耳をすまして聞いていたのだ。

7

塾《じゅく》が終わるとぼくたちは、駅の反対側、ビルの間にはさまれたその古い木造《もくぞう》の二階家に直行した。看板のペンキがはげかけている。ガラスの引き戸は開けてあるのだが、なかはとても暗い。

『池田種店』。

「駅前の花屋でいいんじゃないの」河辺《かわべ》はなかをのぞきこんだ。最近ビルになった白いタイルばりの店のことを言っているのだ。

「だめだよ。専門店でなくちゃ」

ぼくは一度、この店に来たことがあった。一年生の時、朝顔の種を買いにきたのだ。観察用に学校からもらった種をぼくがなくしてしまったので、おかあさんがここに連れてきてくれた。ぼくはそれを鉢《はち》に植え、毎日水をやった。つるは竹の棒を越え、ベランダに巻きつき、雨《あま》どいを登って、それ以上巻きつくところがなくなると、空に向かって細く手を差しのべるように伸び続け、そうしてすうっと、とぎれた。その年は、大きな朝顔が次から次へと咲いた。観察日記をくらべると、開花数はぼくのがクラスのだれよりも多かったのをおぼえている。おかあさんと色水を作って、白いハンカチを何枚も染めた。そうだ、あのころはまだ、

おかあさんはお酒なんか飲まなかった。

花が終わったあと、種をとっておいたはずだったことをぼくは急に思い出した。黒いつやつやした種のなかに、赤や白や紫の花が眠っている。ぼくはこぼしてしまった種もひとつひとつていねいに拾うと、封筒《ふうとう》のなかに入れた。あの封筒は、どこに行ったんだろう。

「こんにちは」

店のなかは、ひんやりと涼しい。小さな引き出しがいっぱい並んでいる。煮物《にもの》とお線香のまじったような、古い家のにおいがする。

「はいはい」

店は奥と、藍色《あいいろ》ののれんで仕切られている。畳の上をこするような足音が近づき、のれんがめくられた一瞬、ぱっと明るい光が差しこむと、むこう側で風鈴《ふうりん》がちりん、と鳴った。

出てきたのは、小さなおばあさんだ。藤色《ふじいろ》のブラウスの半袖《はんそで》から見える小さな腕が、遠慮がちに少し曲げられている。小さな手。小さな口。小さな丸い目。白髪頭《しらがあたま》を小さく後ろでまとめている。背もぼくより小さい。足首までのソックスをはいた小さな足に、小さなサンダルをはいている。小さな女の子みたいだ。

「種、ほしいんですけど」

「はいはい、なんの」

「今、蒔《ま》くのにいいの、ありますか」

「今日、蒔《ま》くんです」河辺が言った。

「もう八月だから」おばあさんは、ちょっと考えた。「ユキオコシなんか、あるといいんだけど」

「あ、それ。きのうおじいさんが言ってた」山下が言った。

「ほんと」

「うん。それがいい」

「あれはねえ、夏に蒔《ま》くんですけども。あんまり種からやる人は、おらんものですから」おばあさんは残念そうに言った。「置いとらんのです」

それからおばあさんは、たくさんある小さな引き出しをそろそろとひっぱりだしては、そろそろと閉め、また隣の引き出しをそろそろとひっぱりだしては閉めたりしながら、「ええと、今蒔《ま》くのは」と、ひとり言を言った。引き出しのなかには、種の入った小さな袋《ふくろ》が、図書館の閲覧《えつらん》カードみたいにきちんと並んでいる。暗い引き出しのなかで、水と光を待ちながら眠っている花園《はなぞの》。ぼくの朝顔の種の入った封筒が、ひょこっと出てきそうな気がした。

おばあさんは、ゆっくりとていねいに足を動かしてぼくたちのほうをきちんと向くと、

「鉢植えでしょうかね」ときいた。前に来た時も、ぼくはこのおばあさんに会ったのだろうか。

「庭です」

「花壇《かだん》ね」

「庭ぜんたい。ぱあっと」河辺が言った。

「そりゃあ、よござんす」おばあさんが、にこっとした。

おばあさんは、もういちど、ていねいに足を動かして、引き出しに向かった。

「そんなら、これがよろしいでしょ」引き出しからひとつ袋を取りだすと、おばあさんはまたきちんとぼくのほうを向き、きちんとその袋を手わたした。コスモスだ。『蒔《ま》きどき』は六月中旬まで、となっている。

「今、蒔《ま》くとね、あんまり背が高くならないけど、ちゃあんと咲きます。ぱあっと蒔《ま》くなら、きっとよろしいでしょ」おばあさんはそう言うと、「これは、広いところでないと映《は》えないもんですからね、コスモスは」とつけ加えた。それから、この季節には肥料《ひりよう》をやる必要はないこと、庭にぱっぱっと蒔《ま》けばそれでいいということを教えてくれた。

「いくつ持ってきなさります」

「えっと」

「お庭にぱあっと蒔《ま》くのなら、十か二十」おばあさんは、ぱあっと、というのをほんとに楽しそうに言った。

「ひと袋、おいくらですか」山下がきいた。そうだ、お金のことをぜんぜん考えてなかった。

「百円」

おばあさんに背中をむけると、ぼくたちは密談した。「おまえ、いくら持ってる」

「四百円」河辺が答えた。

「三百五十円。パン代だよ」山下が言った。

ぼくは三百円。三人あわせて千五十円になる。

「よし。お金がたりるだけ買おう」

「昼は」山下がきいた。

「ぬき」

「えーっ」

「なんだよ、一食くらい抜いたほうが、やせるぜ」河辺が言うと、山下は黙った。

ぼくたちがふりかえると、おばあさんはもう、種の袋をせっせと紙袋につめていた。

店の奥で「おばあちゃん」という声がして、高校生くらいのおねえさんが顔を出した。

「あ、お客さん」

長い髪の毛を、後ろで束《たば》ねている。少しあごがとがっていて、おでこが丸いところが、おばあさんにそっくりだ。

「えりちゃん、手伝って」

「うん」うす暗いお店のなかで、おねえさんの白いポロシャツがひらひらと動いた。おねえさんは、おばあさんといっしょに、コスモスの種をありったけ引き出しから取り出して、包

みはじめた。

「お庭にぱあっと、蒔《ま》きなさる」

「それじゃあ、コスモスはいいわね。手間もかからないし」おねえさんが、河辺の顔を見てにっこりした。「いいわね、お庭があって」

「おじいさんの庭なんです」河辺はあわてて下を向いた。「ぼくんちはマンションだから」河辺の声は、消えそうだ。貧乏《びんぼう》ゆすりがはじまっている。ぼくはやつの肩を押さえた。

おねえさんは河辺をちょっと見て「そう」とやさしく言うと、あとは黙って手を動かした。

「はい、どうぞ」袋はぱんぱんだ。

「あの」

「よろしいです。春の売れ残りですし。みんなお持ちんなってください」おばあさんが言った。「それに、ここはもうすぐ閉めますんです」おばあさんは、ちょっとさびしそうに笑うと「お若いのに、お庭を丹精《たんせい》なすってご立派なことです」と言って、ぺこん、とおじぎをした。

「おじいさん、きっと喜ぶわよ」おねえさんが河辺にこっくりうなずいた。

お金はいらない、とおばあさんは言ったけれど、ぼくたちは千五十円だけ置くと、「ありがとう」と言って、包みを受けとった。それからおじいさんの家に着くまでのあいだ、河辺はその包みを大事そうに抱えたまま、話しかけてもひと言もしゃべらなかった。

袋から開けてみると、種はどんぶりに山もりになった。細長い、さらさらした種だ。ぼくたちはそれを、手のひらにとり、腰をかがめ、ぱあっと、というよりはていねいに、少しずつ蒔《ま》いた。

「こんなにたくさん、どうしたんだ」縁側で、おじいさんは、びっくりしている。

「種屋に強盗に入った」ぼくが言った。

「おまえらに強盗ができるか」おじいさんは、ふふんと鼻で笑った。最初は、ぼくたちを泥《ど》棒《ぼう》かなんかでも見るような目で見たくせに、そんなことは忘れてしまっているらしい。

「コスモスなんか、わざわざ種を蒔《ま》くとはね」おじいさんが言った。「いなかじゃ、そこらじゅう、勝手に生えてた」

「いなかって」

「北海道」

「ふうん」

「まあ、おまえらぐらいのころだからなあ」おじいさんは、ちょっと目を閉じた。ぼくも目を閉じる。あたり一面コスモスの咲いている原っぱに風が吹き、さわさわとやさしい音がするのが、ぼくの耳に聞こえた。少年時代のおじいさんはどんな顔をしていたんだろう。もちろん、はげてなんかいなかったはずだし、たぶんやせて、よく日焼けしていたかもしれない。

ぼくは、いっしょうけんめい想像しようとした。でも、どうしてだろう。その原っぱに立っているのは、ぼくだった。

「コスモスの花言葉、知ってる」山下が言った。

「知らない」

「少女のナントカ」

「ナントカってなんだよ」

「袋の裏に書いてあったんだ。少女のジュン、ナントカ」

縁側には、コスモスの花の写真が印刷された袋が、全部で五十以上もちらばっている。縁側に、ひと足早く花が咲いているようだ。ぼくはそのひとつを手にとり、裏返して見た。和名・秋桜《あきざくら》、大春菊《しゅんぎく》。科名・キク科。原産地・メキシコ。花言葉・少女の純潔。

「ね、なんて書いてある」山下がきいた。でも……口に出してはいけない言葉みたいな気がする。

「ほら、木山だって、やっぱり読めないんだ」

「読めるよ」

「じゃ、なんて」

「じゅんけつ」ぼくはいらいらした大きな声で山下に言った。「おまえ、ケツって字も読めないの」

山下は、腰を伸ばすとぼくをふりかえった。「じゅんけつって、なに」

まったく。山下の国語の成績がひどいはずだ。「けがれない、ってこと」

「けがれないって」

「悪いことをしてないってこと、なんじゃないの」ぼくはもごもご言った。

「悪いことってどういうことかなあ」山下がぼんやり言った。「塾《じゅく》をさぼるとか、夜中にお菓子を食べるとか」

「知るか」

「返ってきたテスト、隠すとか……嘘《うそ》をつくってのもよくないよね」

おじいさんが、ふふ、と笑った。

「うるさいなあ、おまえら」河辺がいまいましそうに言った。「さっさとやれよ」

「へんなの。河辺、さっきからへんだよ。黙っちゃって」

「ほっとけ」ぼくが言った。「あのおねえさんのこと考えてるんだから」とは言わなかった。武士のなさけだ。

おじいさんが、家のなかから古いホースを持ってきた。先端には、じょうろの先っぽが、ひもでぐるぐるとくくりつけてある。おじいさんは、ぼくにしいっと言うと、後ろを向いている河辺のほうを目くばせした。山下は、うふっと笑うと、スニーカーをぬいで、ホースの差しこんである台所の水道の蛇口《じゃぐち》をひねった。

「オーケー」声を殺して、山下が言う。ぼくはねらいを定めた。水は、ちょっと間をおいてから、勢いよく吹きだした。

「ひゃっ冷たい!」河辺があわててふりかえる。「やめろよ!」

河辺は庭を逃げまわっている。種を蒔《ま》いたところを、あまり踏みしめてしまわないようにつま先だちしているので、ダンスでも踊ってるみたいだ。ぼくと山下、それからおじいさんまでけらけら笑っている。

「わあ、きれい」塀《へい》の外から女の子たちの声がした。田島と酒井だ。河辺は「え」と立ち止まり、水がズボンのおしりに命中した。

「虹《にじ》。すごくきれい」田島が言った。

「ほんとだ」ホースの角度をちょっと変えると、縁側からも小さな虹を見ることができた。

太陽の光の七つの色。それはいつもは見えないけれど、たった一筋《ひとすじ》の水の流れによってその姿を現す。光はもともとあったのに、その色は隠れていたのだ。たぶん、この世界には隠れているもの、見えないものがいっぱいあるんだろう。そうしてそれは、ほんのちょっとしたことで、姿を現してくれるものもあれば、偉人伝に出てくる科学者や冒険家たちのたどったような、長くてつらい道のりの果てに、ようやく出会うことのできるものもあるにちがいない。ぼくが見つけるのを待っているなにかが、今もどこかにひっそりと隠れているのだろうか。

その時、ホースにくくりつけていたじょうろの先が、水の勢いに負けてふっとんだ。どくどくと流れる水が、種を蒔《ま》いた土の上に小さく穴を開《あ》けてしまう。

「おっと」おじいさんは、あわててぼくの手からホースを受けとると、先をつまんで水の流れを細くしようとした。一直線に伸びた水が、ぼんやり立っていた河辺の顔を直撃した。

「うわあっぷ!」

女の子たちの笑い声が、空に鳥が飛びたつように広がる。

「わるいわるい、だいじょうぶか」おじいさんは、笑いたいのをこらえている。ようやく気づいた山下が、あせって蛇口《じゃぐち》を止めに立った。

ぼくはベッドのなかで、呼吸を数える。一、二、三、四、五、六……十四、十五、十六、十七……三十から後は、だんだん眠りのなかに消えていってしまう。ぼくは眠りにぐるぐるとまきこまれ、ときには、水のなかから浮かび上がる古靴《ふるぐつ》のように、こちら側にもどってくる。すると、もう一度、最初から数えはじめる。一、二、三、四……。

ずっと前、人間は、生きているあいだに六億から八億回息をすると本で読んだ時、ぼくは一日じゅう、自分の呼吸を数えずにはいられなくなってしまった。二年生の時だったと思う。ぼくは呼吸を数えては、だんだんと息がつまり、苦しくなり、神経質なセキばらいをして、また一から数えなおした。学校の授業のあいだも、食事をしているあいだも。おかあさんは、

ぼくがしょっちゅう口ではあはあ息をし、セキばらいばかりしているので、「そのセキ、やめなさい」と何度も言ったけれど、ぼくはもう、自分でどうしていいかわからなかった。「息ができない。息のしかたがわからなくなっちゃったんだ。死んじゃうよ、おかあさん」ぼくはベッドのなかで、毎晩泣きながら、そう叫んだ。最初のころ、おかあさんは途方に暮れたように、ぼくのまくら元に座《すわ》ったり、温めたミルクを持ってきてくれたりした。するとぼくは少しのあいだ安心するのだけれど、おかあさんがいなくなってしまうと、また同じ不安におそわれた。「息ができない。死んでしまう」

ぼくは、もうおかあさんを呼んだりしないけれど、あいかわらず眠る前には、呼吸を数える。生まれてから、ぼくは何回くらい呼吸したのだろう。八十年で八億回だとしたら、十二歳のぼくは一億二千万回。一億二千万の小さな空気のかたまりが、ぼくのなかを通過したことになる。それは何回まで続くのだろう。ある時それは切って落とされるように突然、おしまいになる。五億、八億、九億、それとも三億回で。そしてそのあとは……ぼくはどこかへ行くのだろうか。それとも……。

ぼくは、息を止めてみる。まくらに顔をうずめ、そうして数をかぞえる。一、二、三……十三、十四、十五、十六……三十一、三十二、三十三、三十四……しっかりと目を閉じる。すると暗闇《くらやみ》のなかに黄色い光がちかちかと動く。それはやがて、黄色い花の咲く野原となり、ぼくの体は浮かびあがって、鳥になったように、その野原を上から見下ろす。いや、ちがう。

炎《ほのお》だ。黄色い花は小さな炎となり、燃え上がり、やがてあたりは火の海になってしまう。だれかが立っている。足下《あしもと》を火におおわれて、その人はぼくに手をふっている。だれだろう……でも、そこまでだ。ぼくは苦しくなって、体全体ではあはあと息をする。

ずっと昔、ぼくがまだ小さいころ、死ぬ、というのは、息をしなくなるということだと教えてくれたおじさんがいた。そうして長い間、ぼくはそうだと思っていた。でも、それはちがう。だって、生きているのは、息をしているってことだけじゃない。それは絶対に、ちがうはずだ。

翌日からぼくたちは、おじいさんの家の手入れをした。はがれたままになっている外壁《そとかべ》を釘《くぎ》で打ちつけ、ガラス屋さんをよんで割れたガラスを交換し、陽《ひ》の光にささくれだった窓枠《まどわく》にやすりをかけ、金物屋《かなものや》で買ってきたペンキを塗《ぬ》る。雨戸《あまど》の戸袋《とぶくろ》に開いていた穴は、山下が家から鮭《さけ》が入っていた木の箱を持ってきて、それを分解して釘《くぎ》で打ちつけてふさいだ。

おじいさんは、やすりのかけ方、ペンキの溶《と》かし方、刷毛《はけ》の使い方、のこぎりの使い方を教えてくれる。ぼくたちは、かなづちで自分の指を叩《たた》き、ペンキの缶《かん》をひっくりかえし、のこぎりの食いこんだ板切れと悪戦苦闘する。

杉田と松下は、あいかわらず、ちらちらのぞきにやってきた。

「ちょっと」ぼくは、ハシゴの上からふたりに声をかけた。「ペンキの缶、取ってくれない。

下に置いてきちゃった」

河辺は、ペンキの乾《かわ》いた窓をはめこもうと必死になっていたし、山下も太い指に針《はり》を握りしめて、網戸《あみど》の破れ目につぎを当てていた。ぼくは松下に向かって刷毛《はけ》をふった。

松下が、どうしようという顔をして、杉田を見た。杉田はベージュ色のペンキの入った缶をちらっと見て、それから用心深そうにぼくを見た。「サッカー、どうすんだよ」

「え」

「休むのかよ」

そうだ、今日は夏休みになって以来、久しぶりのサッカー教室の日だった。「忘れてた」

「どうすんだよ」杉田は、低い声でくいさがった。ちぇっ、ほっといてくれよ。

「今日はこっちがいそがしいから、休む。コーチに言っといて」

松下が目をまんまるにした。

「あいつらもかよ」杉田は、河辺と山下の方を、あごでさした。

「おい！」ぼくは、河辺と山下に聞こえるように大声を出した。「今日サッカーだった。行くか」

「だめだめ。手が放せない」河辺はサッカーが得意なくせに、ぜんぜん行く気はないらしい。

「忘れてた。まいっちゃうよなあ、おかあさん、なんにも言わないもんなぁ」たいしてまいってもいない声で、山下が答えた。

「そういうわけだから。ペンキの缶、早く取って」

杉田はすこし後ずさりすると、あわてて走って行ってしまった。松下もそれに続く。腰ぬけ。あいつらほんとに腰ぬけだよ。

「ほら」おじいさんが、ぼくにペンキの缶をわたしてくれた。ぼくは板壁をベージュ色に塗りはじめる。背中を向けているけれど、おじいさんがぼくを見ているのがわかる。おじいさんは、見ていないみたいな顔をして、よくぼくたちのことを見ている。(一度、ぼくはおじいさんの縁側に『かかし』という本を忘れたことがある。それは、ぼくたちと同じくらいのイギリス人の男の子が出てくる、すごくこわくておもしろい恐怖《きょうふ》小説だ。おじいさんはその本を「だれのだ」とききもせずに、ぼくにわたしたのだ。)

最初はぼくたちがおじいさんを見ていたのに、いつのまにか、見られているのはぼくたちのほうになってしまった。それは、おかあさんがお酒を飲みながら、ぼくがご飯を食べているのをじっと見つめるのとは、ちょっとちがう感じだ。

ペンキはかなりむらが目立つけれど、家は新しく生まれかわったようだった。キンモクセイの木陰《こかげ》で、ぼくたちは仕事の成果をひとつひとつたしかめた。ベージュの外壁、緑色の窓枠、扉《とびら》。雨どいまで緑色に塗《ぬ》られている。青いトタン屋根も、こうして見るとなかなか悪くなかった。だれか知らない人がこの家を見たら、トントン、とノックしてみたくなる、そん

な感じだ。

「これでコスモスが咲けば、大草原の小さな家ってとこだね」山下が言った。庭のあちこちに、また生えはじめた雑草にまじってコスモスの双葉《ふたば》が出はじめていた。ぼくは、草とりしようか、と言ったのだけれど、おじいさんは、まだいいじゃないか、せっかく生えてきたんだから、とすましている。

「自分ちじゃないみたいだ」おじいさんは、ふうん、と腕組みした。

「ほんと。前は人が住んでるとは思えなかった」河辺が言った。おじいさんが、じろ、と横目で河辺を見たけれど、河辺はぜんぜん気づかない。緑色のペンキがしずくになったまま固まっている雨どいを、ほれぼれと見つめている。

「そうだな」おじいさんは、もう一度、生まれかわったわが家に目をやると、「ほんとにそうだ」と言った。「長いこと、家のことなんか、かまってなかったから」

「やってみるもんだね」ぼくが言った。

「うん。やってみるもんだ」おじいさんは、この歳《とし》になって初めて確信した、というようにうなずいた。

「結婚したことある」ふいに河辺がきいた。

「あったな」ひと事《ごと》みたいだ。

「その人、どうしたの。死んじゃったの」

「さあ」

「別れちゃったの」

「まあ、そういうことだ」

「どうして」

「忘れた」

「もう一度、結婚しなかったの」

「しない」

「どうして」

「知るか」おじいさんは、憮然《ぶぜん》としている。

「その人、なんて名前」

「忘れた」

「きれいな人だった」

「忘れた」

「子ども、いたの」

「いない」

「へんだよなあ」

「なにが」

「オレのおとうさんなんか、二度も結婚して、両方に子どもがいる」

「いいじゃないか」おじいさんが、ちょっとため息をついた。

「よくないよ」河辺は、口をとがらせてなにか考えている。「もし、おじいさんに子どもがいたら、おとうさんは二度結婚しなかったかもしれない」

「メチャクチャ言うな」

「そういうふうには考えられないかな」

「なんでおまえの親父《おやじ》が二度結婚したのが、わしのせいなんだ」

「せいっていうのとはちがうよ。でも、なんかそういう仕組みになってたりするかもしれないってこと」

「ぜんぜんわからん」

「ぼくだってぜんぜんわからないよ」河辺はちょっと怒《おこ》ったみたいな声を出すと、「わからないことばっかりだから、どこかに仕組みが隠れているんじゃないかって、考えるんだ」それからしばらく黙りこんだ。

「つまり……つまりさあ」河辺は顔をあげると、急にでかい声で早口にしゃべりだした。

「A《エー》さんの家にはりんごがひとつありました。B《ビー》さんの家にはりんごがふたつありました。両方あわせていくつでしょう。はいみっつですってわけにはいかないんだ。オレがわからないのは、そういうことだよ。そうだろ？　おとうさんをりんごみたいにふたつに割ってしま

うこともできないし、うちにはおとうさんがいないから、おじいさんがひとりだから、だからおじいさんがうちのおとうさんになるってわけにもいかない。りんごじゃないんだから。でも、どこかにみんながもっとうまくいく仕組みがあったっていいはずで、オレは、そういう仕組みを見つけたいんだ。地球には大気があって、鳥には翼《つばさ》があって、風が吹いて、鳥が空を飛んで、そういうでかい仕組みを人間は見つけてきたんだろ。だから飛行機が飛ぶんだろ。音より速く飛べる飛行機があるのに、どうしてうちにはおとうさんがいないんだよ。どうしておかあさんは日曜日のデパートで、あんなにおびえたような顔をするんだよ。どうしてオレは、いつか後悔させてやりなさい、なんて言われなくちゃならないんだよ」

河辺は一気にまくしたてると、「帰ろ」とぽつりと言った。

おじいさんは、コスモスの双葉も気にせずにさっさと庭を横切ると、家の中に入り、縁側にすいかと包丁《ほうちょう》を持ってきた。そうして、すいかを四つに切って「ほら」と差し出した。

「食っていけ」

「いいから」

「いい」河辺はきまり悪そうに下を向いている。

河辺は、すいかを食べた。おそるおそるひと口。やがて、その大きなひと切れに顔を全部うめてしまうようにがつがつと。なんだかわけのわからない敵を征服するように、ぼくたちは、陽《ひ》を受けて甘く大きく育った果肉《かにく》をたいらげた。

8

おじいさんは、もうゴミをためたりしない。朝、きちんと早起きして、自分で電信柱のところまで持って行く。ぼくたちに会うと「おう」と元気よく声をかける。ぼくたちは「おはようございます」と、もぐもぐあいさつする。塾《じゅく》が終わると、おじいさんの家の塀《へい》のところから、庭をちょっとのぞく。コスモスは大きいもので十センチくらいに伸びて、細い葉っぱを出している。あまり背が高くならないと種屋のおばあさんは言ったけれど、それにしてもなんだかひ弱な感じだ。

「ほんとに咲くのかなあ。だいじょうぶかな」

「そうだね」

窓が開いている。つぎのあたった網戸のむこう、風通しのいい畳《たたみ》の部屋で、おじいさんは洗濯物《せんたくもの》にアイロンでもかけているのだろうか。テレビはついていない時のほうが多くなった。

それからぼくたちは、それぞれ家に帰るか、学校のプールに行く。河辺《かわべ》も、もう「見張りをしよう」とは言わない。おじいさんは、買い物に行き、料理をして、きちんとご飯を食べ、掃除《そうじ》をし、洗濯をする。なんだかぼくたちのやることが、なくなってしまったような気分だった。

「勉強しないとなあ」ひとしきり泳いだあと、プールのふちに腰かけると、河辺が言った。背中に太陽の熱がじわじわと染《し》みこんでくる。すると泣きたい時みたいに鼻がつーんとしてくる。

「きのう返してもらったテスト、すごく悪くてさ。おかあさん、鬼みたいに怒った。オレ、ベランダのさんにしばられちゃった」

「ほんとに」

河辺はしょんぼり、プールを見つめた。山下が、のろのろ背泳ぎしている。ほとんど沈みそうだ。

「ずっと泣いてたらさ、夜中に隣のおばさんが来ちゃって、それでやっとほどいてもらえた」

夏期講習の中間テストがよくなかったのは、ぼくも同じだ。塾から、うちに電話がかかってきてしまった。

「毎日、なにしているの」おかあさんは、いやな目でぼくを見た。

「なにしてるって……」おかあさんは、まだいやな目つきをしている。一度くらい成績が悪かったくらいで、そんな目をすることないのに。ぼくはぜんぜん信用されてない。「ちゃんと勉強するから……」

「学校の友だちのいない塾にしたほうがよかったかしらね」おかあさんは、ぼくの言ったこ

とが聞こえないみたいに言った。

「関係ないよ」ぼくは自分の部屋に行った。勉強しはじめたけれど、なんだかぜんぜんのらなかった。

「あれ」河辺がプールをきょろきょろ見まわした。「山下、どこ行ったんだろ」

あがったんだろうか。でも、プールサイドにいるのは、ぼくたちだけだった。

「どうしたのかな」

「おい、あれ」河辺がプールを指さした。

「え」

その時、するどいホイッスルの音がして、先生が飛びこんだ。体育の近藤静香《こんどうしずか》先生だ。先生の青と緑のしま模様の水着が水の中をすうっと進み、プールの底からぐにゃりとしたなにかを抱き上げた。

「山下!」

みんなプールサイドに集まった。山下は薄く目を閉じてぐったり横たわっている。顔も体もすごく白い。

「死んじゃったの」だれかがきいた。先生はそれには答えずに、山下の胸をぐっと押さえては離し、また押さえる。先生の水泳帽からはみだした前髪が、青ざめた額《ひたい》から鼻筋《はなすじ》に向かってはりついている。山下は目をさまさない。

「山下くん、山下くん」先生は、山下の頰《ほお》をぱちぱちと叩《たた》いた。

「やばい。死ぬぜ」ぼくの後ろで杉田が言った。

「うるさい！」ぼくは自分でもびっくりするほどうわずった声で叫んだ。河辺は、あごをがくがくさせて貧乏《びんぼう》ゆすりをしている。

先生は、山下の鼻をつまむと、くちびるを山下の口にあて、息を吹きこんだ。五回、六回、七回……みんな静まりかえっている。

ぼくは山下が包丁を研《と》いだ時の手を思い出した。山下が小さな目を顔の中にうずめるようにして笑う顔を思い出した。山下が汗だくになって、いちばんビリで走ってくる姿を思い出した。魚屋の前かけをして、店を手伝っている時の「らっしゃい！」という声を思い出した。死ぬ、ということは、そういうすべてがぼくの目の前から消えてしまう、もう会えなくなってしまうということだと、その時ぼくは、初めて気がついた。もう会えない？　山下に、もう二度と？　それなのに、今は夏で、ぼくは生きていて、世界はなにごともなかったように動き続けるんだろうか。それは、すごくおそろしいことのように思えた。

「山下、おい、でぶ！　しっかりしろ！」ぼくは叫んでいた。

うっすらと頰《ほお》に赤みがさし、まぶたをふるわせて、山下はゆっくりと目を開けた。

「あれ、みんな……どうしたの」

保健室でしばらく休んだ山下を待って、ぼくたちはいっしょに帰った。「おかあさんを呼びましょう」と近藤先生は言ったけれど、山下は、絶対やめてほしい、と言い張ったのだ。

線路の上の橋の真ん中で、ぼくたちは下を走る電車をぼんやり見つめていた。河辺が一度、飛び降りそうになったという橋だ。

「いいなあ、おまえ、近藤先生とキスしちゃったんだぜ」河辺は、ちょっと眉《まゆ》を寄せて山下を見た。山下はもじもじしている。近藤先生は、とてもきれいだ。まつげの長いぱっちりした目と、彫刻みたいなくちびる。ちょっと外人みたいだ。

「ほんとにいいよなあ」ぼくも言った。

「でさ、どうだった」河辺がきいた。

「ど、どうって……オレ、気を失ってたんだぜ」山下はあわてた。

「バーカ。オレが聞きたいのは」河辺は山下にぐっと顔を近づけた。「おまえが気を失ってた時のこと。おまえ、死にそうだったんだぜ」

山下はなんのことだかぜんぜんわからないみたいだ。

「死にそうな時って、どんなだった」

山下は、ちょっと口を開けてなにか言いかけたかと思うと、うーん、と考えこんだ。

「オレさあ、足がつったことまではおぼえてるんだ。でも、そのあとはぜんぜん」

「おぼえてないの」

「うん」

「苦しかったとか、そういうのも」

「おぼえてない」山下は、ちょっと申しわけなさそうな顔をした。「でも、夢見たよ」

「どんな」河辺とぼくは、ぐっと身を乗りだした。

「海のなかにいるんだ。オレ、ヒラメの背中に乗ってた。イワシの群れがきらきら銀色に光って泳いでいたんだ。きれいだったなあ」山下はまるいあごをちょっと上に向けた。

あの世は、海の底にあるのかもしれない。深い、だれも知らない海の底に。

「ヒラメが口をきくんだよ。『海のお姫さまが病気です。治るには、おいしいヒラメのお刺《さし》身《み》を食べなくてはなりません。あなたは、わたしをお刺身にしてくださいますね、勇者』って」

「それでどうしたの」

「オレさあ、言葉をしゃべるヒラメを料理するなんて、ちょっとできないって思った。それに第一、ヒラメのお造《つく》りなんて、まだできないもん。だから、帰るって言ったんだ。出直してくるって。そうしたら」

「そうしたら」

「目がさめた」

「ふうん」

いつか山下が、ヒラメのお造りをみごとにできるようになる日、山下はこの夢を思い出すだろうか。

「よかったよな」河辺がぽつんと言った。「帰って来れて」

「うん」山下は、ちょっと身ぶるいした。橋の下を電車がゴーッと通りすぎた。

「案外、簡単に死んでしまうものなのかもしれない。そう思わないか」河辺がぼくにきいた。

「交通事故とか、工事現場の下を歩いていて上からなにかが落っこってくるとか、プールでおぼれるとか」

「ころんで頭を打つとか」ぼくが言った。「ヤクザのケンカの流れ弾《だま》に当たるとか」

「フグの毒にあたるとか」山下が言った。

「オレはフグなんか食わない、一生」河辺が言った。「だけどさ、ほんとは生きてるほうが不思議なんだよ、きっと」

ぼくは、前に理科の時間に見たチョウの産卵《さんらん》のスライドを思い出した。虫たちは、何十、何百もの卵《たまご》を産む。でも、ちゃんとチョウに育つのは、そのうちの一匹もいないかもしれないのだ。ほとんどは、ほかの虫に食べられてしまったり、エサになる葉っぱを見つけられなかったり、気候の条件が悪かったりして、死んでしまう。まるで死ぬために生まれてくるみたいに。

「死ぬのは別に、不思議なことじゃないんだろうな。だれだって死ぬんだから」ぼくが言う

と、河辺はうん、とうなずいた。

「でも死ぬのはこわい。そうだろ」

「うん」

「ヘンだよなあ。だれだって死ぬのに、どうしてこわいって思うんだろ。やっぱり、死ぬまでわかんないのかな」

「オレさあ」山下がもっそりと言った。「オレはまだ、ヒラメのお造りができない。できないうちに死ぬのはいやだって思う。できないうちに死んだらどうしようって思うとこわい。でも、ヒラメのお造りができたら、いつ死んでもいいって気になるかっていうと、わかんないけど」

死んでもいい、と思えるほどのなにかを、いつかぼくはできるのだろうか。たとえやりとげることはできなくても、そんななにかを見つけたいとぼくは思った。そうでなくちゃ、なんのために生きてるんだ。


八月第二週目。台風が来た。風が、ちっぽけな街の上を叫びながら走り抜けていく。その大声が息をつぐたびに、雨が窓に叩《たた》きつけられる。

バスが止まってしまったので、塾はお休みになった。ぼくはリビングの窓に鼻をこすりつけるようにして、巨大な怪物に飲みこまれてしまった外の様子をながめていた。真昼の街は、

怪物のおなかのなかで、暗い灰色に染《そ》まっている。人はだれも歩いていない。小さな看板が、見えない斜面《しゃめん》をすべるスノーボートのように飛んで行く。

「おかあさん」

おかあさんは、ソファにぐったりと座《すわ》ったまま、眠っていた。

「おかあさんたら」

顔色が悪い。ひどく疲れているみたいだ。肩のところまで伸びた髪が、顔の半分をおおっているせいだろうか。昨夜《ゆうべ》、ぼくはおかあさんの大きな声で目がさめた。耳をすましていると、隣の寝室でおとうさんが押し殺した声で、なにかしゃべっている。でも、そのあとはもう、おかあさんの声は聞こえなかった。

ぼくは耳を、おかあさんの口もとに近づける。一回、二回、三回、四回……温かい息がぼくの耳を湿《しめ》らす。おかあさんの体を通った小さな風が、ぼくの耳を吹きぬけ、脳ミソをちりちりとふるわせる。

部屋のなかは、とても静かだ。アルミサッシの窓はぴちっと閉められ、エアコンがひんやりするほどきいている。このまま世界が終わってしまっても、なんの関係もないように眠り続けることだってできるにちがいない。ぼくは、お墓《はか》のなかってこんな感じかな、と思った。にぎやかな外の世界の遠い声に、冷たい土の下で耳をすます死んだ人たち……。

ぼくはおかあさんを起こさないようにそっと立ち上がると、玄関の扉《とびら》を開けた。嵐《あらし》がどっ

とぼくを飲みこみ、さらわれるようにぼくは駆けだした。

やっぱりだ。おじいさんの庭は大きな水たまりになってしまっている。つんと立っているのは雑草ばかりで、コスモスはあちこち勝手な方向を向いて、水のなかにぐったりとたおれている。だめになってしまうかもしれない。

目のなかに雨がふきこむので、顔をしかめながら、ぼくはしばらく塀《へい》の外で突っ立っていた。傘《かさ》は持っていない。持っていたって、なんの役にも立たないだろう。

「なにしてるんだ。早く入れ」

玄関の扉が十センチくらい開いて、おじいさんの顔が半分見えた。風にさからって扉を開けているのだろう。ぐっと歯をくいしばっている。

「早く」

駆けこむと、扉はばたん、と閉まり、後ろで風がひょおーっとうなりながら、遠ざかって行った。玄関に立ったまま、おじいさんが出してくれたタオルで頭をふいていると、見おぼえのあるスニーカーが二足、目に止まった。

「やあ」山下が、畳《たたみ》の部屋から顔を出した。

「やっぱ、来ちゃったか」河辺が台所に飛び出してきた。「靴下《くつした》、ぬいじゃえよ」

ぼくはびしょびしょの靴下をぬぎ、シャツとズボンの上からでも、とにかく全身をふいた。

タオルはもう、水気《みずけ》ですっかり重くなっている。「おじゃまします」

「はい、こっち」河辺はタオルとぼくの靴下を受けとると、さっさと風呂場《ふろば》に持って行った。

「うちの二階から外見てたらさ、おちょこになった傘《かさ》持ってだれかが歩いてるんだ。そしたら河辺じゃない」山下は、こーんなになっちゃってさ、と河辺が風にさからってメガネをおさえながら歩いている様子を、ちょっとまねしてみせた。「コスモス心配だから、見に行くっていうから、いっしょに来た。おまえも」

「うん」ぼくは、ふたりに先をこされたみたいで、ちょっとおもしろくなかった。

「洗っておいたぜ」河辺は風呂場からもどってくると、まるで自分のうちみたいに座りこんだ。

「まあ、座れ」おじいさんはいちばん窓ぎわの自分の場所に、どっかり落ち着いている。ぼくは端《はし》のほうに、ちょっと遠慮して座った。

「なにしてたの」

「なにって、別に」ふたりは顔を見合わせた。

「別に、じゃないだろ、おまえら」おじいさんは、すごく上機嫌《じょうきげん》だ。

「なんだよ」

ふたりはにやにやしている。

「いいよ、教えたくないんなら」なんだよ、仲間はずれにしやがって。

「賭《か》け。おまえが来るか、来ないか」山下が言った。

「オレが」

「そうそう」

「なあんだ」なあんだ。

「なんだじゃないよ、こっちは。なあ」河辺と山下は、口をとがらせた。

「で、だれが勝ったの」

おじいさんが人さし指を、自分の鼻に当てた。

「さあ、おまえらに、アンマしてもらわなくっちゃな」

山下はおじいさんの肩をもむ。河辺は左足、そしてどういうわけか、ぼくが右足。

「どうしてオレまでしなくちゃならないんだよ。賭けたのはおまえらだろ」

「文句言うな。こうなった原因は、おまえにもある」河辺が言った。

「メチャクチャ言うな」

山下は、おじいさんに馬乗りになり、うんうん言いながら太い指で肩をもんでいる。「ね、うまいでしょ」

「ううっ」うつぶせになったおじいさんは、目をつぶり顔をしかめてうめく。

「オレ、おとうさんの肩、よくもむんだ。慣れたもんだよ」

「ううっ」

「おとうさんの肩は、おじいさんの三倍はあるからね」

「ううう っ」

「気持ちいいでしょ」

「うううう っ」

「ね、もっと強いほうがいいかな」

「うううううう っ」

「言ってよ、遠慮なく」

「い、いたい」

「なんだ」山下はおじいさんの肩をはなした。「それならそうと、早く言えばいいのに」

おじいさんは、ぜえぜえいっている。

ズボンを膝《ひざ》までまくりあげると、おじいさんの脚は、とてもやせている。固い骨《ほね》のまわりにまとわりついた薄い肉と皮膚《ひふ》は、骨と仲よくなんかしたくないみたいに、ぼくの手のなかでゆるゆると動く。ぼくのおとうさんの足には毛がいっぱい生えているのに、おじいさんの脚は、油紙のようにつるりとしていて、そのくせ、さわるとふわふわとしてたよりない。なんだか不気味な手ざわりだ。

「おい右足」うつぶせになったまま、おじいさんが言った。

「ぼく？」

「おまえ、アンマなんかしたことないんだろ」

「うん」

「なさけないやつだ」

ちぇっ。ぼくはそれまでかなりこわごわやっていたのだけれど、くやしいのでぐっと力を入れた。

「ムキになるな……そうそう、なかなかよくなった。ちょっとテレビつけろ」

いい気なもんだ。ぼくは、立ち上がってテレビをつけると、またおじいさんの脚をもんだ。

ニュースが、どこか遠い国で戦争がはじまったと言っている。離陸直前の戦闘機が並ぶ、夜の飛行場が画面に映っている。ヘルメットをつけたパイロットが乗りこむ。整備士や、旗《はた》を持った男の人たちが、きびきびと動きまわるなかで、飛行機はゆったりと羽を広げる鳥のようだった。パイロットが誇らしげに手をふる。映画みたいだ。

「戦争に行ったこと、ある？」

組んだ両手の上に頭をのせて、横目でテレビを見ていたおじいさんは、ぼくのほうをちらっと見た。そうしてまたテレビの画面を見つめた。

「あるよ」

「飛行機に乗った」

「乗らない」

「どんなことしてたの」

「戦争だからね」おじいさんはテレビを見つめたまま言った。画面には、瓦礫《がれき》になった街が映っていた。

「ね、話してよ。戦争の話。なにしていたの」河辺は、手だけはアンマをしながら目をらんらんと輝かせている。

「ジャングルのなかを歩いていた」

「歩いてただけ」河辺は不服そうだ。「ねえ、話してよ。もっとくわしく、さ」

おじいさんは、なにも言わずに起き上がると、テレビをぱちん、と消した。とたんに、雨の音が大きくなる。どこかで、出しっぱなしの風鈴《ふうりん》が、めちゃくちゃに鳴っている。

「ねえったら」我慢《がまん》できない、と言うように、河辺が全身をゆらした。

「忘れた」おじいさんがまた座りこむと、

「だめだよ」と河辺は黄色い声を出した。

「うるさいやつだなあ」

「話してよ」ぼくが言った。「戦争って、どんなものだか知りたいよ」

おじいさんはしばらく考えていたけれど、「こわい話だぞ」と言ってまた黙った。あぐら

をかいた右膝《みぎひざ》が、小さくゆれている。それから、ぼくたちをそろりと横目で見ると、そっと目をふせた。

それは、ほんとうにこわい話だった。

おじいさんたちの一隊は、前線《ぜんせん》の基地を撤退《てったい》してジャングルのなかをさまよっていた。つまり逃げていたのだ。全部で二十五人いた小隊は、やがてひとり減りふたり減りして、十八人になっていた。暑さと飢《う》えと渇《かわ》きで、みんな疲れきり、死んでしまうか、病気になって置きざりにされてしまったのだ。時々、そんなふうに置きざりにされた、ほかの部隊の兵隊に出会うこともあった。まだ息があるというのに、目や口に、うじがわいてうごめいている。でもだれも助けようとはしなかった。どのみち死ぬのだ。苦い汁《しる》の出る草を口の中でかんで、空腹《くうふく》をまぎらわそうとしながら、それでも歩いていたのは、止まってしまうのがこわかったんだと思う、そうおじいさんは言った。

夜になると、曲がりくねったべとべとの木の根の上に、鶏《にわとり》のようにうずくまって眠った。ジャングルのなかでは、体を伸ばして眠る場所はない。疲れのあまり、死んでもいいから体を伸ばしてぐっすりと眠りたい、と海岸に出て行って、敵に見つかり、蜂《はち》の巣にされた者もいた……。

「よく助かったね」

おじいさんは黙りこんでしまった。そうして「よく助かったね」と言った山下の顔を、ぼんやりと見つめた。まるで知らない人を見つめるみたいに。

「でもある日」おじいさんは、また話しはじめた。「ある日、小さな村を見つけたんだ。草の葉で屋根をふいた小さな家がいくつかあるだけの、小さな村だ。よかった、これで何日ぶりかの食事と新鮮な水にありつける、そう思った。実際、あの時、あの村に着かなかったら、全滅していただろうと思う」

雨が窓を激しく叩《たた》いた。どこか遠いところからやってきたなにかが「入れてくれ」と叫んでいるみたいに。

「でも、その前にすることがあった」

ぼくたちは、黙っておじいさんの言葉の続きを待った。風向きが変わったのだろう。雨はもう、ひっきりなしに窓を叩いている。

「その村には、女と子どもと年寄りしかいなかった。殺したんだ。その女と、子どもと、年寄りを」

「どうして」ぼくは思わずきいた。

「生かしておいたら、居所《いどころ》を敵に通報されてしまうかもしれない。そうしたら、こっちが殺される」

「ババババッと機関銃かなんかで」河辺は貧乏ゆすりをしている。

「そう」おじいさんは、あっさり答えた。

「人を殺すってどんな感じ」河辺は目を光らせている。山下がやめろよ、と河辺をつっついた。

「女がひとり逃げた。わしは、それを追った。こっちは飲まず食わずだったから、走っていると足がもつれて、息が止まりそうだった。まだ若い、鹿《しか》のようにすばしこい女でね。後ろに束《たば》ねた長い髪が背中で躍《おど》って、一足ごとにたくましい腰の筋肉が上下していた。それを見つめて、必死で追いかけたんだ、ジャングルのなかを。頭のなかでゴーン、ゴーンと鐘が鳴ってるみたいで、もうだれを、なんのために追っているのかもわからなくなって、それでも追いつめて銃で撃った。女は大きな小麦袋《こむぎぶくろ》かなんかみたいにたおれた」

ぼくたちは黙りこんだ。大きな鐘が、ゴーン、ゴーンと鳴っているのが、ぼくには聞こえるような気がした。それとも、風のうなり声だろうか。

「弾《たま》は女の背中から胸を貫《つらぬ》いていた。近づいて、うつぶせにたおれている女の体をおそるおそる裏返した。その時、初めて気がついたんだが」おじいさんは、ちょっと言葉につまった。

「おなかが大きかったんだ」

「赤ちゃんがいたってこと？」山下が小さな声できいた。おじいさんはうなずいた。

「手のひらでさわると、はちきれそうですべすべしたおなかのなかで、なにかがぴくりと動

いた。その女はもう死んでいるのにね」

　うつむいたおじいさんは、どんな顔をしているのか、ぼくには見えない。そうして生きのびた、

「それからわしは村にもどると、仲間といっしょに食料をたいらげた。

というわけだ」

　おじいさんはそれだけ言うと、「戦争だからね」とぽつりと言った。河辺は小さく貧乏ゆすりをしている。山下は口を半びらきにしたまま、横目でたんすのとってを、じいっとにらみつけている。

　どのくらいの間そうしていたのか、ぼくにはよくわからない。おじいさんは、テレビの下の引き出しから煙草《たばこ》を取りだすと、蚊《か》とり線香《せんこう》のお皿の上のマッチを取って火をつけた。おじいさんが煙草を吸うのを見たのは、初めてだった。おじいさんはちょっと吸うと、煙草の先の火を見つめ、すぐにお皿の上でもみ消した。

「聞かなきゃよかっただろ。こんな話」

「そんな、ことないけど」ぼくはもごもご言ったのだが、なんだか気まずい空気をますます居心地《いごこち》悪いものにしただけみたいだった。

「いいんじゃないの、話して」河辺がぽつりと言った。「そういうことは、話しちゃったほうがいいんだよ、きっと」

　おじいさんは、ちょっとびっくりしたみたいな顔をした。それから「そうか」と言って窓

の外を見た。雨は少し弱まって、泣いていた赤ん坊が眠りにつく前のように、時々はげしくしゃくりあげながら、降り続いていた。

9

「おじいさんが奥さんと別れてしまったのは、きっとそのせいだよ」

ぼくも山下も、河辺《かわべ》にそう言われるまでは思いつかなかったけれど、同感だった。おじいさんは、南の島で女の人を殺した。おなかに子どものいる女の人を。その記憶から逃げたくて、おじいさんは自分の家、自分の奥さん、自分のしあわせ、そういうものすべてから、逃げだしてしまったのだ。

「ほかにだって、そういうことをした人はたくさんいるはずなんだけどね」山下はちょっと考えて、「その女の人が、お化けになってたりして。赤ちゃんを抱いておじいさんのところにやってくるんだ」と言った。

「やめろよ」河辺がこわい顔をして山下をにらんだ。

「戦争ってやっぱりよくない」ぼくが言った。河辺は下を向いて、うん、とうなずいた。

あの台風の日、おじいさんはとてもよくしゃべった。まるで、袋につめてしまいこんでいたものを、おずおずと取りだして見せるように、おじいさんは話し続けた。それは、あのはげしい雨や風のせいだったのかもしれない。

戦争から帰ると、おじいさんは家にもどらなかった。別れる理由もなにも言わないまま、

行方《ゆくえ》をくらましてしまったのだ。生きて復員したことさえ、自分では知らせなかった。奥さんの名前は、弥生《やよい》。結婚前の名字《みようじ》にもどっただろうから、古香弥生《こうやよい》だ、きれいな名前だろう、そうおじいさんは言った。

「もっとも、おとなしくてやさしいやつだったから、だれか別の人にもらわれただろうけれど」おじいさんはそう言うと、ごろりと横になって眠ってしまった。眠ったふりだったのかどうか、それはわからなかった。

「でさ、オレ、考えたんだけど」河辺は道の真ん中で、塾《じゆく》の鞄《かばん》をごそごそやると、「これ、見てくれよ」と、おりたたんだ白い紙をぼくにわたした。開くと、さっき返してもらったばかりの国語のテストだ。二十五点。「ひどいね」ぼくが同情すると、やつは「え?」とのぞきこみ、あわててテストをひったくった。

「今のはまちがい。これだよ、これ」

もう一度わたされた紙には、電話番号が五つ、河辺の強烈なクセ字で書いてあった。そして五つの名前……全部、古香《こ こう》さんだ。

「調べたんだ。きのう、NTT《エヌティーティー》で」

台風の日以来、ぼくたちはまた、おじいさんの家に集合するようになっていた。そういえばきのう、河辺は来なかった。塾が終わると「ちょっと用がある」と言って、パン屋にも寄らずに、そそくさと帰ってしまったのだ。

「とりあえず、これは東京だけ。だけどおじいさん、言ってただろ。古香弥生さんは下町の人だって」

「どうするんだよ、これ」

「かけてみるんだよ」河辺は声のトーンを一段高くした。

「弥生って人は、いないじゃない」山下が言うと、

「あのねえ」と河辺はえらそうに、今度はもったいぶって言った。「電話帳には、セタイヌシの名前しかのってないんだ。弥生さんはいっしょに暮らしているかもしれないし、そうでないにしても、手がかりくらいつかめるかもしれない。古香さんなんて、めずらしいんだから」

セタイヌシというのが、世帯主のことだとわかるまで、ぼくは五秒ほどかかった。河辺のカン高い声でセタイヌシ、と言われると、カマイタチとかコノハテングの仲間かなんかみたいに聞こえる。

「そうか……やるねぇ」山下が小さい目をぱっちりさせて、河辺を見た。

「電話帳のひき方、最初はぜんぜんわかんなくてさ。たいへんだった」河辺は得意そうだ。

ちぇっ、ひとりでヌケガケしやがって。

「地方に住んでたら、だめじゃない」ぼくはなんとなくケチをつけたくなった。

「そうしたら、また調べる。NTT《エヌティーティー》には、全国の電話帳がある」やつは自信たっぷりだ。

「再婚してたら？　名字《みょうじ》が変わってる」

「まあね……」

「電話帳にのせない人もいるんだろ」

河辺は黙った。そうして突然、「だから手がかりだけでもつかめりゃいいって、そう言ってるだろ？　親戚《しんせき》かなんかにぶちあたる可能性だってあるんだよ！」とイライラして叫んだ。

「とにかく電話する。オレのうちに集合！」


河辺のマンションで、ぼくたちは電話機をかこんで、にらみあっていた。

「よし、電話しよう」河辺が言った。うん、と山下とぼくがうなずいた。うなずいただけで、だれも受話器を持ち上げようとしない。沈黙……。

「よし、電話しよう」また河辺が言った。うん、と山下とぼくがうなずいた。沈黙……。

ふいに電話のベルが鳴った。ぼくたちは三人とも、ぎょっとなって後ろにのけぞった。河辺が電話に出ると、相手はやつのおかあさんだったらしい。

「ん……今夜遅くなるんだ……うん、うんわかった……だいじょうぶ。ちゃんと食べる……うん、じゃ」

河辺は受話器を置いて、ほっとため息をつくと、「おまえ、しろよ」とぼくに言った。

「なに言ってるんだよ、おまえんちの電話だろ」

「いいから。こういうことは、おまえがいちばんうまいよ」河辺は逃げの一手だ。ぼくは山下をつっついた。

「オレ、知らない人にいきなり電話するなんて、うまくできっこない」

ぼくだってうまくできないに決まっている。でもしかたなく受話器をとった。こういう役は、どういうわけかいつもぼくにまわってくるのだ。

最初の電話にはだれも出なかった。

「だれもいない」ぼくは受話器を置いた。

「なにほっとしてるんだよ、次」

「次は河辺やれよ」

「いいから、おまえやれって」

ぼくはまた受話器をとった。呼び出し音が鳴るか鳴らないかのうちに、男の人が出た。

「もしもし」不機嫌《ふきげん》そうだ。

「あの、もしもし」

「もしもし？」

「古香《ここう》さんですか」

「そうだけど」相手はますます不機嫌そうになった。

「あの、ぼくたち、古香弥生《ここうやよい》さんを探してるんですけど……」

「えっ、なに」ほとんど怒《おこ》っている。ぼくは電話を切ってしまいたくなった。

「……そちらに古香弥生さんっていう人、いらっしゃいますか」

「弥生?」

「おばあさんです。古香弥生さん。ぼくたち、その人を探しているんです」

「うちには、そんなのはいないね」

電話はぷつりと切れた。

「いないって」

山下はメモした電話番号のひとつを消した。「じゃ、次はここ」

「またオレ」

「いいじゃないの。今の調子でやってよ」山下はぼくの肩をぽんぽんとたたいた。

次は女の人が出た。ぼくのおかあさんくらいの歳《とし》だと思う。

「古香弥生。それ、うちの親戚《しんせき》だわ」

「ほんとに」ぼくは受話器を握ったまま、ガッツポーズをした。河辺と山下が頭を寄せてくる。

「ぼく、その人を探してるんです」

「へえ、なんで」

「それは……おじいさんが、会いたがってるんです」

「おじいさん。あんたの」

「……そう、そうです」

「なんで」

「え」

「なんであんたのおじいさんは、古香弥生に会いたがっているわけ」

「えっと」

「言えないようなわけ」女の人の声が低くなった。ここで失敗するわけにはいかない。

「あの、ぼくのおじいさんが、古香弥生さんにおわびをしたいと言っているんです。おじいさんは、死にそうなんです、明日にも死ぬかも知れないんです」ぼくは嘘《うそ》つきだ。

「へえ、それは大変ねえ」女の人はふーっと長く息を吐《は》いた。煙草《たばこ》を吸っているんだろう。

「で、おわびって？　逃げたとか捨てたとか、そういうこと？」

「そ、そんなんじゃないです」ぼくはやっぱり嘘つきなんだろうか。女の人は、おかしそうに笑った。

「あの」ぼくは、どぎまぎしながら言った。「電話に出してもらえませんか」

「だれを」

「古香弥生さん」

「うちにはいないわよ」女の人は心底《しんそこ》びっくりしたように言った。「あたし、ひとり暮らし

だもの」

「じゃ、どこに」

「そんなこと知らないわ」

「でも、さっき親戚《しんせき》だって」

「それは、古香《ここう》なんて名字《みょうじ》はめずらしいから、必ずどっかでつながってるだろうなって意味。あたしは古香弥生《ここうやよい》っておばあさんは知らないの、悪いけど」

ぼくはがっかりして、ため息をついた。

「また電話していいわよ」女の人はそう言って電話を切った。

三番目は留守番《るすばん》電話だった。マカロニ・ウエスタンのバックミュージックに乗せて、「しばらく留守にしております。帰って来るのは、いつになるかわかりません。旅路《たびじ》の果てより、あなたのしあわせをお祈りいたしております」と男の人が、ネコなで声でささやいた。気色《きしょく》悪い。

四番目に出たのは、小さな女の子だった。

「もしもし、今だれもいません」女の子は電話に出るなり、まだ舌のよくまわらない大きな声で言った。

「おかあさん、いないの」

「お仕事」

かけなおしたほうがいいかな、とぼくは思った。

「今日はゲンくんがセキコンコンだから、遊べないの。お留守番《るすばん》してるの、おばあちゃんと」

「おばあちゃん、いるの?」ぼくは勢いこんだ。

「おばあちゃんはお耳が遠いから、お電話には出られないの。どなた様ですか」女の子は、どなた様ですか、というのを急に思い出したように、つけたした。

「おばあちゃんのお友だちなんだ」ぼくはほんとに嘘つきだ。

「おばあちゃんのお友だち?」女の子は、不思議そうに言った。「おばあちゃんにお友だち、いるの」

「あのね、おばあちゃんのお名前、知ってるかな。弥生っていうんじゃない? 弥生」ぼくはわくわくする気持ちをおさえて、なるべくゆっくり「や・よ・い」と発音した。

「ちがうよ」女の子はいとも簡単に否定した。「おばあちゃんは、はなえ。はなえっていうの」

ぼくはがっかりして、河辺と山下に、だめだめ、と手をふった。

「おにいちゃん、ほんとにおばあちゃんのお友だち?」

間違いだったみたい、ごめんね、と電話を切ろうとした時、女の子が言った。

「やよいおばあちゃんのお友だち?」

「え」

「やよいおばあちゃんは、おうちにはいないの」

「おばあちゃんは、はなえおばあちゃんでしょ」なんだかわけがわからない。

「やよいおばあちゃんは、はなえおばあちゃんより、もっとおばあちゃんなの。あたしのおとうさんは、はなえおばあちゃんの子どもなの。あたしとおにいちゃんはおとうさんの子どもなの。はなえおばあちゃんのおねえさんは、やよいおばあちゃんなの。やよいおばあちゃんは、とってもおばあちゃんになったから、おうちにはいないの」

ぼくはますますわけがわからなくなった。「それで、どこにいるの。弥生おばあちゃんは」

「ここにいたの。だけど今はおにいちゃんの勉強部屋になったの。おにいちゃんはジュケンするの。だからあたしも静かにしてなくちゃいけないの」

「あのね、弥生おばあちゃんは、前にはきみといっしょに住んでたの?」

「あたし、まゆちゃん」

「まゆちゃんは、弥生おばあちゃんと、いっしょに住んでたんだよね」

まゆちゃんは、黙った。なにかまずいことを、ぼくは言ったのだろうか。

「スンデタって」心細そうにまゆちゃんがきいた。

「弥生おばあちゃんは、まゆちゃんのおうちにいたんだよね」ぼくは生まれて初めてネコなで声を出している。

「うん、そう」

「それでね、今はどこにいるのかな」

「トウジュエン」まゆちゃんは元気に答えた。「とってもいいところなんだって。おかあさんが言ってた」

その老人ホームは、小さな病院のようだった。エアコンのきいたいくつもの白い箱のような部屋のなかで、おじいさんやおばあさんが、碁《ご》を打ったり、テレビを見たり、フラダンスを踊ったりしている。みんな、とても静かだ。ハワイアンギターの音楽や、テレビのコマーシャルのそうぞうしい音にかこまれながら、お年寄りは音をたてずに、ひっそりとしゃべり、歩く。水のなかで動いているみたいに。そのなかを、きゅっきゅっとゴム底の靴音《くつおと》をたてて、薄いピンクの制服を着た看護婦さんのような人がやってきた。

「きみたち、なにかご用かな」大学生みたいなおねえさんだ。耳の下で、髪をきりっとそろえている。

古香弥生《こうやよい》さんはいますか、とぼくがきいた。

「今日は面会の予定は入っていなかったけれど」おねえさんは、壁の掲示板をちらっと見た。

「会いに来たの?」

ぼくがうなずくと、おねえさんは「遠いのにえらいわねえ」と言った。ほんとに遠い。ぼ

くたちは、二時間電車に乗り、それからバスに乗ってやっとここまでたどり着いたのだ。

「古香さんのおばあちゃんに面会なんて」おねえさんは、すごく感心している。「お孫《まご》さん？」

河辺と山下が、ぼくをつっついた。

「あの、弥生おばあちゃんの妹のはなえの孫です」ぼくはほんとうに嘘ばかりついている。

「こっちよ」おねえさんは、くるりとふりかえると、またきゅっきゅっと音をたてて廊下を歩きはじめた。

「あの」

「なに」おねえさんがふりかえった。

「ぼくたち、自分で行くからいいです。場所を教えてくれれば」おばあさんに会ったら、ぼくのついた嘘がばれてしまうのだ。でもおねえさんは、いいからいらっしゃい、と歩いて行ってしまう。

しかたなくぼくたちは、そのあとに続いて歩いた。長い廊下だ。窓からは、畑と、その真ん中に大きな変電所が建っているのが見える。何本もの電線は、夏の日ざしの下で、息が止まったようにぴくりとも動かない。

「古香さんのおばあちゃん、お客様ですよ」廊下のいちばん奥のドアを、おねえさんが開けた。ぼくたちはドアのところで小さくなっていた。

「おばあちゃん、妹さんのお孫さんよ。前、いっしょに暮らしてたんだったわよねえ。お友だちと会いに来てくれたのよ、よかったわねえ」おねえさんは、とん、とぼくの肩を叩《たた》いて言った。そうして「早くお入りなさい」とぼくたちをひっぱりこんだ。

ベッドの上に、細くて小さなおばあさんがちょこんと座《すわ》っていた。にこにこしている。

「もうずいぶん会ってないから、大きくなっちゃったでしょう。おばあちゃん、わかる？」

「ええ、ええ」おばあさんは、にこにこしている。

「じゃ、ゆっくりしてらっしゃいね」おねえさんは、おばあさんの背中のまくらをぽんぽんと叩いてふくらませると、ぼくたちを手ぎわよくソファに座らせて、さあっと出て行った。すごくいそがしそうだ。取り残されたぼくたちは、ソファのクッションになったみたいな気分だった。

ゆっくりと腕をのばすと、おばあさんはベッドの横の引き出しから、和紙でくるんだおまんじゅうを三つ、ぼくたちに差しだした。ぼくはそれを受けとると、ソファに座って河辺と山下にひとつずつわたした。

「お茶がね、外の、ロビーのところにありますから」

「喉《のど》、かわいてないんです」ほんとうのことを言うと、ぼくは喉《のど》がからからだった。

おばあさんは、あいかわらずにこにこしている。ほんとうにぼくをまゆちゃんのおにいさんだと思っているんだろうか。おばあさんはとても色が白い。しわはたくさんあるけれど、

小さな丸い目がとてもやさしそうだ。

おまんじゅうをくるんだ紙が、手のなかで湿《しめ》ってきた。なにを話せばいいのかわからない。

「オレ、ちょっとお茶もらってくる」河辺が立ち上がった。「オレも」山下はあわてて、河辺のあとを追って行ってしまった。いつもこうなんだ。遅れをとるのは、ぼくに決まってる。

「あの」

「はい」おばあさんは、やわらかくうなずいて、ぼくをしっかりと見た。ゆかたの小さな花模様が、風に吹かれて一瞬、ゆれたように見えた。

「おばあさんは」

「え」

「いえ、体、どこも悪くないですか」

はい、おかげ様で、とおばあさんは白髪《しらが》になった髪を後ろでまとめた頭を下げた。話がとぎれる。

「まゆちゃん、とっても元気です」ぼくはなんとか話の糸口をつかもうと、会ったこともないまゆちゃんをひきあいに出した。

「え」

「まゆちゃん、元気です」

「そうですか。それはよろしゅうございます。今年はほんとうに暑くて、年寄りはつらいばかりで」

おばあさんは、それ以上、まゆちゃんには興味がないようだった。ぼくは覚悟を決めた。

「昔の話なんですけど」

「ええ、ええ、どうぞ」おばあさんは、うれしそうにうなずいた。

「昔、ひとりの男の人がいて、戦争に行ったんです。奥さんがいたんですけれど、戦争が終わっても、その男の人は家に帰りませんでした。でも、奥さんのことを忘れたわけじゃないんです。その人は、今でもずっとひとりで暮らしているんです」ぼくは一気にそう言った。

「戦争の時は、終わったあとも、いろんなことがありましたからねえ」おばあさんは、そっと目を閉じた。「そういうことも、あったでしょうね」

おばあさんは、手の甲を静かにさすっている。小さな、色の白いおばあさんには不釣り合《ふつりあ》いな、黒く、ごつごつした手。おばあさんは、その手をじっと見つめたまま、下を向いている。

「その男の人は、戦争の時、とてもおそろしい目にあったんです。家に帰れなくなっちゃうほど……」ぼくは言葉につまった。どうしたらいいんだろう。「ひどいと思ってますか」

「あたしが、ですか」おばあさんは、ゆっくりときいた。用心深そうな目をしている。やっぱり来なければよかった、そうぼくは思った。だいたい、古香弥生《こうやよい》おばあさんを探そう、と

いうことしか考えていなかったのだ。相手はいやがるかもしれないということくらい、わかっていてもいいはずだったのに。

けれど、おばあさんの不安そうな様子はすぐに消えて、ちょっとぼくのほうに顔をかたむけた。

「もし、あたしがその男の方の奥様だったら、その方をうらんでいるかと」

「ええ」

おばあさんは、そうですねえ、と考えこんだ。そんな質問をされたのを楽しんでいるみたいだった。

「うらんでなんかいないでしょう。うらんだって、しかたないですし。それにね、いやなことは忘れてしまうの、あたしは」おばあさんは、またにこにこしていた。「戦争の時は、普通じゃないんですから。人が変わってしまっても、無理ないんですから」

「ぼく、ここにおじいさんを連れて来てもいいですか。おじいさんが来たいって言ったら」

「おじいさん？」

ぼくはおじいさんの名前を言った。おばあさんはしばらく考えこんでいた。やっぱり会いたくないのだろうか。

「あの」おばあさんが、ようやく口を開いた。「歳《とし》をとると、どうも物忘れがひどくって。そのお方はどちら様なんでしょう」

おばあさんは、とても心細そうにほほえんだ。おばあさんの結婚したひと、そうぼくが言うと、

「まあまあ」おばあさんは、おかしそうに笑った。「だんな様は、とっくに亡《な》くなりましたよ」


「ぼけちゃったんだよ、きっと」

老人ホームの建物を出ると、ぼくは言った。陽《ひ》がかたむきはじめている。涼しい風がすうっと通りすぎた。今日は秋の初めの日だ、ぼくはそう思った。

「人ちがいってことないかな」山下が言った。ぼくは首をふった。

「まゆちゃんのおばあちゃんだってことだけは、たしかだろ。だのに、まゆちゃんの名前を出しても、なにかはっきりしなかったんだよな」

「でもさ」河辺がちょっと声をひそめた。「ほんとはおじいさんのこと、おぼえているのに、会いたくないから、忘れたふりをしていたってことも考えられる」

「うん」ぼくはちょっと考えた。「どっちにしたって、おじいさんは会わないほうがいいってことじゃないかな」

「……そうだね」

山下が、あ、と立ち止まった。「ほら」

ふりかえるとベージュ色だったその建物は、夕日に照らされて燃え上がるようなオレンジ色に染《そ》まっていた。夕方の風に小さく波立つ池のようなガラス窓のむこうで、だれかが手をふっている。

「おねえさんかな」

「ちがうよ」おばあさんだ。

はじかれたように、ぼくたちも思いきり手をふった。おばあさんは、ひじをまげ、ゆっくりと規則正しく、ぼくたちに手をふっている。顔は見えないけれど、きっとにこにこしているにちがいない。

それは、言いようのないほどさびしい風景だった。夕日に染まった畑のなかに、ぽつんと置き去りにされた、小さな箱のような建物。その箱のなかに、ぎっしりとつまっているなにかを、ぼくはもっとしっかりとつかみたいと思った。でも、それはどんどん遠ざかってしまう。時間を止めることができないように。

おばあさんは手をふるのをやめて、窓のむこうに立ったまま、こちらを見ている。

「また、来るからねーっ！」

ぼくは大きな声で叫んだ。でもおばあさんには聞こえなかったのだろう。そのまま背中を向けると窓の奥に消えてしまった。

「また来ようよ、ほんとに」

うん、そうだね、きっと来よう――夕焼けを体のずっとずっと奥まで染《し》みとおるほど浴びながら、河辺と山下がそう言った。

10

あんなにひどい台風だったのに、コスモスはだめにならなかった。いったんぐにゃりと曲がった茎《くき》は、また、真上を向いて伸びはじめている。葉の数もふえ、緑色が濃《こ》くなったようにさえ見える。

「へこたれないなあ」河辺《かわべ》が感心した。

ぼくたちは、塾《じゅく》が終わると、まるでたまり場になってしまったみたいにおじいさんの家に集まり、コスモスの様子を見て、それから宿題をする。おじいさんは、特に歓迎してくれるわけでもないけれど、迷惑《めいわく》そうな顔もしない。でも、いつのまにか、座布団《ざぶとん》が四枚あるようになった。綿《わた》のぺしゃんこになった座布団に、アイロンのよくきいた白い木綿《もめん》のカバーがかけてある。

「おまえら、そんなに勉強してどうするんだ。頭もよくないくせに」

「頭よくないから、勉強するんだよ!」

おじいさんと河辺はしょっちゅうそんなことばかり言っている。でも、おじいさんは歴史とか漢字なら、けっこう教えてくれるのだ。特に漢字は新しい字が出てくるたびに、その字を使った、ぼくたちの知らない言葉を教えてくれる。樹木《じゅもく》の樹なら、樹海《じゅかい》。修学旅行の修な

ら、修羅《しゅら》。修羅というのは、深い山のなかか、暗い海の底に住んで、戦争ばかりしている悪い神様のことだということも教えてくれた。房《ふさ》という字は、乳房《ちぶさ》。さすがにこれは、山下も一発でおぼえた。おかげでやつは、漢字に少し強くなった。

戦《いくさ》に敗れて自殺したはずのミナモトノヨシツネが、実は北海道にわたりジンギスカンという蒙古《もうこ》人《じん》の勇士となって大あばれしていた、なんていう嘘《うそ》みたいな話をおじいさんから聞いた日の夕方、帰り道でぼくは気になっていることを言ってみた。

「あのおばあさんのことなんだけどさ」

「このあいだの」

「だれかに似ていると思わない?」

え、と河辺と山下は顔を見あわせた。

「だれかって」

「わかんないかな」

「あ……!」山下がぼくを見た。

「だろ」

「うん、似てる」

「だれだよ」河辺はまだわからない。

「池田種店の、ほら」

「あのおばあさん?」

「似てないか」

「似てる」

ぼくたちは、あの老人ホームでおばあさんに会ったことをおじいさんに話していなかった。

「あのおばあさんに頼むっていうのは、どうかな。種屋のおばあさんに」

「頼むって、なにを」

ぼくは、計画を話した。

もしお化けに会ってしまったら、あんな顔をするんじゃないか。古香《ここう》さんだよ、とぼくたちがおばあさんを連れて行った時、おじいさんはまさにそんな感じだった。ぼくたちは、コスモスが咲きそうだから見に来てよ、と池田種店のおばあさんを連れだし、おじいさんの家までの道々、おばあさんに古香弥生《こうやよい》さんになってほしい、と頼んだのだ。理由ももちろん説明した。今でもその人のことを忘れていないということ。会って話をしたいにちがいないということ。

「とっても喜ぶと思うんだ」

どうでしょうねえ、とおばあさんはしばらく考えていた。

「ほんとにあたしのこと、その方だと思っていただけるんでしょうかねえ」

「だいじょうぶ。すごく似てるんだ。小さくて、色が白くて、おでこの丸いところなんか」

おばあさんは、おでこに手をあてて、ちょっとしわをのばした。

「ぼっちゃんがた、よっくお考えの上でのことでしょうね」

「うん」

「承知いたしました。あたしは、その方を悪く思ってはいない、そう言えばよござんすね」

「よござんす」山下が答えた。

庭の真ん中で、洗濯物《せんたくもの》のたらいを抱えて、おじいさんは突っ立っている。おばあさんは、困ったようにぺこんとおじぎをしたきりだ。干したばかりのステテコが、気楽そうにぶら下がっている。

「こっちに座ったら」山下が、縁側から声をかけた。麦茶を入れたコップがふたつ、ちゃんと用意してある。「勝手知ったる他人の家、だもんね」

けれどもおじいさんは、山下を見もしなかった。こわい顔をして縁側にすたすたと歩いて行き、急にふりかえると「どうぞ」とおばあさんを招いた。そうして、たらいをしっかりとつかまえたまま、勢いよく蚊《か》とり線香《せんこう》の上にお尻《しり》をのせてしまった。

「あちちちっ」

おばあさんが、くすり、と笑った。おじいさんは、ますますこわい顔をしている。ぼくは山下を手招きした。外野はとっとと消えるべし、だ。

翌日、いつものように塾が終わると、昼食のパンを持って、ぼくたちはおじいさんの家に行った。おじいさんは、黙ってアイロンをかけている。部屋のなかは、夏の暑さとアイロンのにおいでいっぱいになっている。

おじいさんは、白い座布団《ざぶとん》カバーに霧《きり》を吹きかけて、熱いアイロンをあてる。ぐっと力をこめてしわをのばすと、アイロンを台の上に置き、座布団カバーの位置を動かして、また霧を吹く。アイロンを握りしめたおじいさんの手は、青い筋が何本も浮き上がっている。暑いのにアイロンなんてあとにしたら、それよりお昼にしよう、なにもないようだったら買い物行ってこようか、それとも目玉焼きでもつくろうか、などとぼくたちが言っても相手にしない。

「ね、どうだった」河辺がたまりかねて切りだした。「ね、きのう」

おじいさんは、アイロンのコードを抜くと、破れて綿《わた》のはみでた座布団に、糊《のり》のよくきいたカバーをかぶせはじめた。なにも言わない。ぼくたちは顔を見あわせた。

「会いたくなかったの」山下がおずおずきいた。それでも返事がないと、山下はぼくの顔を責めるみたいに見た。ほらみろ、おまえがヘンなこと言い出すから、と言わんばかりだ。

「なにか、怒ってるわけ」ぼくはちょっと不満だった。新品みたいになった座布団を四枚重ねて、おじいさんは、ぼくをじろり、と見た。

「あの人はな、おまえらのことを叱《しか》らないでくれと、頼んで行ったんだぞ」

「すぐわかったの」

「あたりまえだ」

「で、怒ってるんだ」

おじいさんは、四枚重ねた座布団に、ひじをついて寄りかかった。「あの人に嘘なんかつかせて。そういうのを、ぺてんと言うんだ」

「ぺてんなんてことないだろ!」すぐ逆上する河辺がわめいた。

「馬鹿者《ばかもの》!」

一瞬、ぼくのおしりが三センチくらい飛び上がった。おじいさんのそんな声を聞くのは初めてだ。

「悪気《わるぎ》はなかったんだよ」

「悪気とか、そういう問題じゃない」

「じゃ、どういう問題なんだよ」河辺はまだわめいている。

「ひとの人生に猿芝居《さるしばい》を持ちこむなってことだ」

おじいさんに暗い声でそう言われると、ぼくはほんとうにしゅんとなってしまった。頭が悪いとか、顔がまずいとか、性格が暗いとか、そういうことより、もっと決定的にきびしいことを言われた感じがしたのだ。

「すごくいいアイディアだと思ったんだよ。あんまりあのおばあさんが似てるから」

長い沈黙。ぼくは、あれ？　と顔を上げた。おじいさんがぼくをにらんでいる。

「どういうことだ」

ぼくはようやく、しまった、と気づいた。

「あのおばあさんが似てるって、どういうことだ」

河辺もぼくをにらんでいる。「木山のバカ」

山下が、もうだめだよ、と言うように首をふった。

「会いに行ったんだ」ぼくはしかたなく答えた。

「見つけたのか」

「うん」

ぼくは最初から順に話した。電話をかけたこと。古香弥生《ここうやよい》おばあさんがいた老人ホームのこと。老人ホームに入る前は、妹とその息子の家にいたこと。

「それで、元気だったか」おじいさんの、はげ頭のてっぺんしか、ぼくには見えない。

「うん」

「なにか言ってたか」

ぼくが答えずにいると、おじいさんは、顔をあげてぼくの顔をじっと見た。

「忘れてたよ」

「そうか」

「ぼけちゃってるんだ。自分のだんなさんは、とっくに死んでしまったと思ってる」

まあな、とおじいさんは小さく笑った。「そりゃそうだろ。死んだも同然なんだから」

「だけどちがうんだ」

セミの声がうずになってぼくたちをとりまく。オーシーツクツク、オーシーツクツク、オーシーツクツク……何重にも重なったセミの声に耳をふさがれて、自分の声が、だれか別の人の声のように遠く聞こえた。

「英雄なんだ。死んだだんなさんは、英雄だと思っているんだ。戦争の時、ひとりで爆弾《ばくだん》を背負って敵のなかに突っ込んで行ったたって話をしてたよ。すごくくわしく、見てきたように話すんだ。嘘だなんて信じられないくらい」

「そういうのは、嘘って言わない」河辺がぽつんと言った。

「そうだな。嘘とはちがう」おじいさんはうつむいたままだ。「遠かっただろ、そこ」

「すこし」

でもそのあと、おじいさんは「余計なことをするな」と言って、ぼくに背中を向けてしまった。

「ごめんください」

細かくふるえるような声がした。縁側からのぞくと、玄関のところに種屋のおばあさんが

立っている。おやまあ、ぼっちゃんがたもいらっしゃいましたか、と庭をまわって縁側にやってきた。今日は着物を着て、白い日傘《ひがさ》をさしている。傘《かさ》の形に光がかたまり、そこだけ空が切りとられてしまったように見える。別の世界の入り口みたいに。

おばあさんは、日傘《ひがさ》をたたんで「昨日《さくじつ》は、失礼いたしました」と、ていねいにおじぎした。

「それから……」とぼくたちを見ると、「わたし、うまくできなくって、つい……」

ぼくたちは三人とも、すみませんでした、とかすれた声で言った。

「まあ、そんな。ほんとうにごめんなさい」少しあわてたように、おばあさんはまた、おじぎをした。

おじいさんが縁側に出て「こちらこそ、大変ご迷惑をおかけしました」と、もぞもぞ言いながら、アイロンをかけたばかりの座布団をすすめた。

おばあさんは、縁側に薄いピンク色のふろしき包みを置くと、それを開けた。赤い果実が、ざるのなかにいっぱい入っている。

「キイチゴか。めずらしい」

「いなかから送ってきましたんです。少しですけど」おばあさんは、にこにこしている。

洗って来いと言われて、ぼくは台所に立った。ボウルに水を満たすと、塩を少し溶《と》かして、そのつぶつぶをそおっと洗った。果物を洗う時、塩を入れるのは、おじいさんが教えてくれたことだ。濃淡《のうたん》が少しずつ違う赤い色のその実は、小さなルビーをいくつも固めたようだっ

た。ぼくはていねいにすすぐと、ざるにのせて縁側に持って行った。

「あまい！」

「すっぱい！」

「おいしい！」

ぼくたちは同時に叫んだ。

「これは、熊《くま》が喜びそうだ」おじいさんはキイチゴの実を、口のなかでころがすようにして言った。すっかり機嫌《きげん》がよくなっている。

「熊？」

「熊はこういう実が好きだからね。おいしい実のとれるところには、必ず熊が出る。熊の出そうなところに、こういう実もなる」

赤い果肉は、口のなかではじけるようにすっぱく、そうしてあまい。だれも入ったことのない森のなかの、葉っぱの露《つゆ》を集めたら、こんな味になるんじゃないかとぼくは思った。

「山ぶどうとか」おばあさんが言った。

「そう、山ぶどう」おじいさんは、うっとりと言った。熊になってもいい、そんな感じだ。

「コクワとか」

「そうそう」おじいさんは、マタタビを食べた猫《ねこ》みたいに、ますますうっとりしている。

「オンコの実」

ああ、とため息をつくと、おじいさんはもうそれ以上しゃべれなくなってしまった。

「このごろでは、少なくなってしまいましてねえ。とれるところがなくなってしまったものですから」おばあさんは、小さな口をすぼめて、そっと蜜《みつ》を吸うように食べている。小鳥みたいだ。

「おくにはどちらですか」おじいさんがきいた。

「北海道です。愛別《あいべつ》です」

「そりゃあ。わたしは当麻《とうま》です」

まあまあ、とびっくりすると、「ご近所でございますね」とおばあさんは、にこにこした。

にこにこしていると、ほんとうに古香弥生《ここうやよい》おばあさんにそっくりだ。

「ほんとうは、なんだか、そんな気がいたしましたんです、きのう」

「ほお」

「北海道の人間は、ちょっとちがいますでしょう」

おじいさんは、うむ、と大きくうなずいた。「わたしの母親もそうでしたが、北海道の女の人は、すごくよく働きます」

「そっかあ」河辺が顔を上げた。「おじいさんにも、おかあさんがいたんだよ、ね」河辺は妙に感心している。

「あたりまえだ」

そうですね、とてもよく働きます、みんなたくましいです、とおばあさんは言って、ちょっとはずかしそうに笑った。

それからふたりは、すごくよくしゃべった。ゴム長靴《ながぐつ》にスキーをはいて学校に通ったこと、おじいさんのおとうさんが鉄道技師だったこと、山ぶどうのよくとれた秘密の場所のこと、干し数の子を甕《かめ》いっぱいに漬《つ》けたこと、夏には川で泳いだこと、その水の冷たかったこと、網走《あばしり》の刑務所から逃げてきた人が、おばあさんの目の前でつかまった日のこと、家族全員でにしんを干す日のこと、青い唐辛子《とうがらし》をしょうゆに漬けたものでご飯を食べると、ほんとうにおいしかったこと、おばあさんはにしんの白子《しらこ》が大きらいだったこと、夜、山から下りてきたキツネのケーンケーン、という鳴き声がとてもさびしそうだったこと、夏にはいっせいにありとあらゆる花が咲いたこと、冬、材木を山積みした馬車をひく馬たちが、体から立ち上らせていた湯気のすごかったこと、石炭ストーブの掃除《そうじ》をする日のこと、かちかちに凍《こお》った牛乳に、砂糖《さとう》をかけて食べたこと、雪をかためて小さなジャンプ台を作り、スキーでどのくらい遠くまで飛べるか競争したこと……しゃべってもしゃべっても、話はどんどん出てくる。

そんなにたくさんの思い出が、このふたりのなかにしまってあるなんて、驚きだった。もしかしたら、歳《とし》をとるのは楽しいことなのかも知れない。歳をとればとるほど、思い出はふえるはずなのだから。そしていつかその持ち主があとかたもなく消えてしまっても、思い出は空気のなかを漂《ただよ》い、雨に溶け、土に染《し》みこんで、生き続けるとしたら……いろんなところ

を漂いながら、また別のだれかの心に、ちょっとしのびこんでみたりするかもしれない。初めて来たところなのに、来たことがあると感じることがあったりするのは、そんなだれかの思い出の、いたずらなんじゃないだろうか。

おじいさんとおばあさんは、今は黙って庭を見つめている。こうしていると、まるでずっといっしょに暮らしてきた夫婦みたいだ。すうっと涼しい風が通りぬけた。ぼくたちはみんな、陽《ひ》の光と森の風を吸いこんで、あまくすっぱく熟《う》れたキイチゴの実のひと粒《つぶ》に包まれたようだった。

11

おかあさんは、レタスのサラダをちょっとつついただけで、またワインを飲んでいる。ロウ細工《ざいく》のようにきれいに焼けたハンバーグ、ロウ細工のようにきれいなニンジンのグラッセ。でもなんだか味がない。

「ちゃんと食べたら」ぼくはお箸《はし》を置いて言った。おかあさんはあいかわらず、ぼくの食べる様子をぼんやり見ているばかりだった。

「いいのよ、お肉は食べたくないし」クラッカーをつまらなそうに口に運ぶ。ぼそっと乾《かわ》いた音がして、おかあさんはワインで流しこむように、飲みこんだ。毎日そんなふうなのに、おかあさんは太ってしまった。まぶたがはれぼったい感じで、重たいものでも持っているようように、だるそうに歩く。

ぼくは食卓を立つと、キッチンの冷蔵庫を開《あ》けた。野菜室には、しなびたセロリや、カビのはえたかぼちゃの上に、あまい金色をした梨《なし》が三個入っている。

「梨、買ってきたんだ」

そう、とおかあさんはカウンターの向こうから答えた。「おいしそうだと思ったんだけれど」

「食べれば」

「いい。食べたくなくなっちゃった」

ぼくが流しの下から包丁《ほうちょう》を取りだすと、おかあさんはキッチンにやってきて、ぼくの手から梨と包丁を受けとろうとした。

「いいよ」

ぼくは、するすると皮をむきはじめる。水気《みずけ》の多いやわらかな白い実が現れると、金色のリボンはくるくるとほどけていった。

「上手《じょうず》じゃない」おかあさんは、びっくりしてぼくの手つきを見ている。梨ならおじいさんのところで、もう何回か食べたことがあったのだ。「右手の親指をしっかり包丁に当てろ」とおじいさんは言った。そのとおりにすると、包丁は少しずつ前に進むようになった。ぼくがすごく長い時間をかけて、やっと初めてひとつむいた時、梨はとてもいびつな形だった。

「木山の手アカつき」と山下が言ったその梨を、おじいさんは、おいしそうに食べた。

今、梨は丸くなめらかに、ゆっくりとまわりながら、ぼくの手をしずくでぬらしている。すっかり皮がむけると、ぼくはそれをおかあさんにわたした。

「おいしい」

しずくはおかあさんの手首をつたい、ひじのさきに危なげにつかまっている。次のしずくがあとを追い、そのまた次の……夜の台所に立ったまま、夢中で梨をかじっているおかあさ

んを見ていると、なんだか泣きたくなってくる。ぼくは包丁を握りしめ、梨をもうひとつ、ゆっくりとむきはじめた。

おかあさんは、またたくまに梨をふたつ食べてしまった。そうしてその日は、もうお酒を飲まなかった。

ぼくたちは、おじいさんと夜の電車に乗っていた。おじいさんと出かけるのは、初めてのことだ。

「どこに行くんだろ」

「知らない」

おじいさんは、大きな紙袋《かみぶくろ》をさげて、つり革《かわ》につかまっている。背中をぴんと伸ばし、歩く時だってすたすた歩く。「ねえどこに行くの」「なにをするの」と、うるさいにわとりみたいについて歩くぼくたちには、例のふふん、という笑いで答えるだけだ。

昼間、おじいさんは、なんだかいそがしそうだった。黒い丸い玉をいくつも、ひものようなもので結びつけている。ぼくたちがそれにさわろうとすると、「さわるな」のひと言。そうして「夜、来るように」と言った。ぼくと河辺《かわべ》は山下の、山下はぼくの家で勉強をしていることにして、家を出てきたのだ。

三つめの駅で電車をおりた。鉄橋を渡ってすぐの駅だ。

「川原に行くのかな」河辺が言った。「ずうっと前、オタマジャクシを取りに来たんだ。そしたら、手のひらくらいあるでっかいオタマジャクシがいてさ。ウシガエルのだって、おとうさんが言った」

河辺は後ろをふりかえった。ホームのむこうに暗い川原が広がっている。それから、階段を下りはじめると「この駅、きれいになっちゃったね」と、デパートの大きな広告をぼんやりと見た。

「おじいさん、なにする気なんだろ」山下が、ちょっと不服そうに言った。「いっつもなんにも言わないんだから」

河辺の言ったとおり、行き先は川原だった。おじいさんは、ぼくたちを土手《どて》に座らせると、自分は紙袋を持って川のほうにおりて行った。なかなか帰って来ない。

山下と河辺は、「探検しに行ってくる」とどこかに行ってしまった。退屈したぼくは、土手の上に寝そべった。弱々しい光を放つ星がひとつ、ぼくを見つめている。夏休みもあと十日だというのに、ぼくはこんなところで、なにをしているんだ……。

きゃあっ、と女の人の短い悲鳴が聞こえて、それから男の人の「この野郎！」という怒声《どせい》が響いた。ぼくはガバッと起き上がり、声のしたほうに目をこらした。土手の下の道路の暗がりのなかにクルマが止まっている。クルマの前に男の人が立っており、だれかが襟首《えりくび》をつかまれている。山下だ。河辺がそばに突っ立っている。

「なんだ、もうひとりいたのか」男の人は、あわてて駆けつけたぼくをじろり、と見た。黒地に白いたてじまのスポーツシャツを着て、頭の毛をすごく短く刈《か》りこんでいる。顔が妙にどす黒いところが、凶悪《きょうあく》な感じだ。

「おまえら、ガキのくせしてノゾキなんかしやがって」

「ちがいます。誤解です！」ロウ人形みたいに凍《こお》りついていた河辺はそう言うと、貧乏《びんぼう》ゆすりをはじめた。

「るせえっ。じゃ、なにしてたんだ！」

貧乏ゆすりがぴたり、と止まり、やつはまたロウ人形になった。

まわりを見ると、十メートルくらいの規則正しい間隔《かんかく》でクルマが止まっている。でも、だれも出てきてくれない。あのなかはみんなアベックばっかかなんだろう。まったく。世の中、イヤラシくて、腰ぬけなやつばかりだ。

「あの、ぼくたち」ぼくはこわごわしゃべりだした。

「なんだよ」スポーツシャツは、ぼくをにらみながら、山下の襟首《えりくび》を、ぐっとしめ上げた。

「ひいっ」

クルマのなかから、女の人が出てきた。洋服がしわくちゃだ。

「いいじゃないのよ、もう」女の人は、爪《つめ》の長い指先をひらひらさせながら、髪の毛を後ろにかきあげた。

「おまえは黙ってろ！」

やれやれ、というように女の人はクルマにもたれると、それきり黙ってしまった。

「ぼくたち、おじいさんとここに来たんです」しかたがないので、ぼくが話を続けた。「どこにいるんだよ、そのじじいは。きっちり話つけようじゃないか」

事態はかなりやばい状態にあるらしい。ぼくは小便がしたくてたまらなくなった。だいたい、ぼくらをこんなところに置き去りにして、おじいさんはなにをしているんだろう。うらんでやる。

「あ」女の人が、ぽかんと口をあけて空を見上げた。「え」と、スポーツシャツも上を向いた。続いてぽんぽんぽん、と威勢《いせい》のいい音が川原じゅうに響きわたる。花火だ。

花火はそれから、次々とあがった。区でやる花火大会にはだいぶおよばないにしても、赤や青や黄色の菊《きく》の花のようにぱっと開く花火は、すごく豪華だった。それに花火大会のように人がこんでいるところで見るのとは大ちがいだ。

「いいねぇ」女の人が、うっとり言った。ほかのクルマからも、人が出てきはじめている。

「おじいさんだ」河辺が言った。「花火職人だったとは知らなかった」

「まさか」

「そうだよ。あの黒い玉。火薬玉だったんだ。前にテレビであういうの、見たことあった」

「これ、おまえらのじじいがやってんのか」スポーツシャツが、目を丸くしてきいた。

「そうだよ」河辺がどんなもんだい、と言わんばかりに答える。

「しゃれたことするじゃねえか、なあ」それから、「おっと忘れてた」と山下の襟首《えりくび》を放した。

花火は六連発だ。ぱっと開いた満開の花が、夜空をゆっくりとしずくのように落ちるころ、またもうひとつの花が咲く。それがまた暗闇《くらやみ》にとけるよりもはやく、新たな花が開くのだ。ぼくは、そのひとつひとつの過程をじっと見まもった。すべての花火の、最後の一瞬まで、見逃したくなかった。

「これ、見せたかったんだ」山下が、空を見上げたまま言った。「そりゃ、見せたいよね。なんていうか、こんなに、いいんだもの」

「オレのおとうさん、花火職人だったんだ」河辺が言った。

「夏だよな、やっぱ、ぜったい夏なんだよ」とスポーツシャツが言うと、女の人が「うん」とこっくりうなずいた。

やがて花火が消えて、あたりがすっかり静まっても、ぼくたちはしばらくの間、じっと夜空を見つめていた。

ふいに河辺が土手を駆けおりた。「競争だ!」

ぼくたちは、暗い川原をゆらゆらと歩いてくるおじいさんを目ざして、思いきりダッシュした。

どうしても一杯ごちそうしたいから、というスポーツシャツに連れられて、おじいさんとぼくたちは、お好み焼き屋に入った。まわりはビールを飲んでいる大人ばかりだ。こんなところをおとうさんにでも見つかったら大変だ。ぼくと山下はびくびくもので「帰ろうよ」と言っていたのだが、河辺は「あ、ここおかあさんと来たことある」と言ってさっさと座ってしまうし、ぼくもつい、その鉄板《てっぱん》のうめこんであるテーブルがめずらしかったりもして、席についてしまった。

「なんでもどんどん頼め」スポーツシャツはすごく機嫌《きげん》がいい。

「じゃ、ぼく、しょうが玉とイカ玉。それとオレンジジュース」河辺はけっこう図々《ずうずう》しい。

おじいさんとスポーツシャツと女の人はビールを飲んでいる。おじいさんが、外で大人の人と話しているのを見るのは初めてだ。もっと気むずかしいのかと思っていたのに、楽しそうにしているのにはちょっと驚いた。若いころ、花火工場で働いていて、戦争のあとは自動車の修理工場とか植木屋とか、いろんな職業についた、そんなことをぽつぽつ話している。

ぼくたちは、河辺の指導のもとにお好み焼きを焼いては三人の大人たちにくばり、自分たちも食べ、話を聞き、そうしてまたお好み焼きを焼く。けっこういそがしい。

「戦争あったから。じいさんも大変だったんだよ、なあ」

「あんたは、なにしてるんだ」おじいさんが、スポーツシャツにきいた。

「パチンコ屋の店長。っていっても、やとわれ店長だけどよ」スポーツシャツは照《て》れくさそうに笑った。「このごろはヘンな客、多くてさ。ちゃんとした背広着た銀行員かなんかが、ヤクザみたいな口きいたりするんだぜ。やんなっちゃうよ」

「けっこう苦労してるんだ」河辺が、お好み焼きをぱくつきながら言った。

「そ。ここの駅前の二号店。よかったら遊びに来てよ、な」

「大人になったらね」河辺はジュースをごくごく飲むと、ハーッと息をついた。

「おまえらは」急に矛先《ほこさき》が、ぼくたちに向いた。「大人になったら、なんになるの」

「オレは魚屋」山下が、口のなかをブタ玉でもぐもぐさせながら言った。「おとうさんみたいな魚屋になる」

「えらい」スポーツシャツが、でかい声を出した。

「オレは花火職人。今日、決めた」河辺が言うと、あっはっはっ、と大きな声で笑ったのはおじいさんだ。あんまり大きな笑い声だったので、スポーツシャツまで、ビールのジョッキを落としそうになった。

「で、おまえは」

ぼくは……「わからない、まだ」

「ま、なんでもいい。まじめに働くんだぞ」スポーツシャツはそう言うと、「なんてこと、オレが言えっこないか」と笑った。女の人も、けらけら笑った。

「オレよ、おまえらみたいなクソガキが、こんないいガキだと知らなくてよ。さっきは悪かったな」スポーツシャツは、少し酔《よ》ってとろんとした目つきで言った。「だけどよ、こいつの」と女の人をこづいて「こいつのこと、見てやがると思ったら、なんかこう、カーッときちゃってさ」

「いいんです、もう」山下が顔を赤くした。

スポーツシャツは、しみじみした様子で大きくうなずくと「でもさ、こいつのおっぱい、かっこよかっただろ」と言った。そうして「もういちど、お見せしろ」と女の人のブラウスをひっぱった。

「なによ、もう」女の人は、怒った顔をしたけれど、声が笑っている。ぼくたちは、三人とも下を向いてしまった。

「そんなに大事なら、いっしょになればいいじゃないか」おじいさんが言った。

「こいつと?」スポーツシャツはすっとんきょうな声をあげて、心底《しんそこ》驚いた、というように女の人を指さした。女の人は横目で、少し口をとがらせてスポーツシャツを見ている。

「ま、それもいいかもしれないな」スポーツシャツはそう言うと「おばさん、ビール!」と叫んだ。女の人は、大きな目をぱちぱちさせて、少しうつむいている。きれいな人だなあ、とその時ぼくは思った。

「そん時はさ、じいさん、でかい花火を頼むよ」新しいジョッキから、ぐっと一口飲むと、

スポーツシャツが言った。

「おう」おじいさんも、ビールを一口飲んだ。「ひきうけた」今夜のおじいさんは、すごく頼もしい。

「カンパイ！」ジュースのコップを高々と上げて、河辺が叫んだ。

12

八月最後の週になると、サッカーの合宿《がっしゅく》がはじまった。毎年、ぼくたちはコーチの郷里の島にやってくる。そうして、サッカーの練習をしたり、海にもぐったりして四日間を過ごすのだ。

コーチと四、五、六年生で、総勢二十七人。朝早く起きて駅に集合すると、リュックをしょったまま、早くもそのあたりを駆けまわっている五年生はいるし、送りに来たおかあさんと別れるのがいやだと泣きだす四年生はいるしで、大さわぎだ。河辺《かわべ》が妙にはりきって「整列！」なんてしつこく叫ぶものだから、ますますうるさくなる。

新幹線とフェリーに乗って島に着いたぼくたちは、バスで宿に向かった。切り立った崖《がけ》と、白く波の砕《くだ》ける海の間を、道路は白いリボンのように続いている。水平線近くで水がもり上がり、やがてそれは近づき、波となって寄せてくる。次から次へと。まるで、大きな動物のゆったりとした呼吸みたいに。地球は、生まれてから何回呼吸したのだろう。そうしていつまで、海は波打ち続けるのだろう。

水平線が「ここまで来てごらん」と、ゆるく弧《こ》を描きながら、ぼくの行く手を先まわりしている。でも、どこまで行っても水平線にたどりつくことなんか、できっこないのだ。ぼく

はシートに深く座《すわ》り直した。バスのなかは、静まりかえっている。みんな早起きしたせいで、眠ってしまったのだ。最初は少し乗っていた地元の人も、いつのまにかいなくなり、今はぼくたちだけが、ゆりかごのようなバスに身をまかせていた。このままずっとバスに乗って、いつまでも水平線を追いかけていたい気分だ。

「なに、考えてるんだ」隣に座っているコーチがきいた。コーチは普段、絵画《かいが》教室の先生をしている。肩幅《かたはば》がとても広くて、太ももが丸太みたいで、ひげが濃《こ》い。大きな熊《くま》そっくりだ。窓から外を見ようとコーチが身を寄せると、一瞬、オレンジのにおいがした。

「お墓《はか》」

え、とコーチはぼくの顔を見た。

「お墓がたくさんあるね。あんなに海の近くで、さらわれてしまわないのかなあ」

海に突き出した岩の上には、ところどころお墓がびっしりと建てられている。古くて石の欠けたのもあれば、新しいぴかぴかのお墓もある。去年来た時は、ぜんぜん気がつかなかったのに。

「いい場所だろ」コーチが言った。「広い海を見下ろして。死んだら、ああいうところに入るのがいい」

「たくさんあるね」

うん、とうなずいて、コーチはしばらく外を見ていた。

「この島は、すごく人が少ないんだよ。オレもそうだけど、若いのはみんな出て行ってしまうから。ふえるのはお墓ばっかりだ」

「ふうん」お墓の島、という言葉がぼくの頭に浮かんだ。でもここは、ちっとも陰気な感じじゃない。バスは大きくカーブし、海が深くくいこむように迫る。あ、またお墓だ。

「なんだか、島を守っているみたいだね。お墓のなかの人たちが」

「うん、ほんとうにそうだ」

人が住む土地と、海のあいだ。そこに死んだ人たちが眠っている。海の風をいっぱいに吸いこんで、静かに、いつまでも。

「木山は六年だから、今年で最後だな」

「うん」

コーチは目を閉じた。バスのエンジン音は、波の音とまざり合ってはほどけながら、坂道をぐんぐん進んで行った。

バスは走り続けている。けばけばしいほどの蛍光灯《けいこうとう》に蛾《が》が一匹、しつこくまとわりついては鱗粉《りんぷん》を落としている。窓の外は真っ暗で、どこを走っているのかもわからない。道が悪くなったのだろう、振動が激しいのだけれど、暗闇《くらやみ》に圧《お》し殺されたように、バスは音もたてずに走っている。ぼくはいちばん後ろの真ん中の席にひとりで座っている。みんなは眠ってい

るんだろうか。

「あ」

窓にだれか映っている。ぼく？　そこに映っているのは、ぼくのはずだ。でもちがう。それは、とてもとても歳《とし》とった、見知らぬ人のように見えた。ぼくの知っているだれでもない老人。でも、なんだか見覚えのあるような……。

バスの揺れが激しくなり、ぼくは窓に近づけない。老人の顔もはっきり見えない。だれだろう。あの老人は、窓の外にはりついていでもいるんだろうか。それとも……ぼくは、窓に映る自分自身の姿を探すのだが、揺れはますますひどくなるばかりだ。ぼくは椅子《いす》から落ち、ガクリと膝《ひざ》が折れた。

木山……木山……。

びくりとして目を覚ますと、豆電球のうす暗い光のなかに、しみだらけの古い木の天井《てんじょう》が見えた。河辺がぼくの肩をゆすっている。そうだ、ぼくは合宿に来ていたんだっけ。ここは、コーチのおとうさんとおかあさんがやっている民宿なんだ。

「おい、木山」河辺は声を殺している。ぼくたちの部屋には、河辺と山下とぼくのほかに、四年生が三人寝ている。

「なんだよ」

「トイレ、行きたいって言うんだ」

「だれが」

「山下」

「行きゃいいじゃない」

「ひとりじゃこわいって言うんだ」

「じゃ、ついてってやれば」

「やるよ。でもさ、木山も行きたくない」

「行きたくない」

「行こうよ」

やれやれ、とぼくが立ち上がると、山下はもうふすまのところで、そわそわしている。

「早く。もれちゃうよ」

ふすまのむこうの、ぶあつい観音開《かんのんびら》きの戸は、半開きになっていた。ここは昔、味噌蔵《みそぐら》だったそうだ。コーチのひいおじいさんが亡《な》くなってから、宿屋に改造したという。窓の小さな、壁の厚い小さな部屋は、夏だというのにひんやりとしている。昼でも暗い廊下に、そういう部屋がいくつも並んだ様子は、牢屋《ろうや》みたいな感じがしないでもなかった。

廊下のつきあたりのトイレから、蛍光灯の光がぼうっともれている。ひたひたひた……と暗い廊下を歩いていると、後ろからだれかが見ているような気がして、でもなんだかふりかえることができない。昼間見たお墓も今は、暗闇のなかで夜の風に吹かれているだろう。あ

んなに穏やかだったのは仮の姿で、今ごろはひとだまがすばしこい動物のようにとびまわっているんじゃないだろうか。

「ミソナメって知ってるか」河辺が、声を殺して言った。

「なに」山下は、もう悪い予感に声がふるえている。

「お味噌をなめる妖怪《ようかい》なんだ。ざらっとした猫《ねこ》みたいな長い舌で……」

「やめてよ」

「今でもそいつは、ここに住みついているような気がしないか。首すじを後ろから、ざらっと……」

ひっと息をつまらせて山下は立ち止まってしまった。ぼくがにらむと、河辺は白っぽい顔をして、貧乏《びんぼう》ゆすりをしている。自分もこわいくせに、どうしてそんな話をするんだろ。やっぱり河辺はヘンだ。

ぴかぴかにみがかれた便器のならぶ、明るいトイレにたどり着くと、三人そろってほっとため息をついてしまった。『手洗い用』と書いてある木のサンダルの音が、壁や天井に響きわたる。ぼくたちは、小便用の便器の前に並んで立った。

「オレさ、自分ちでも夜中に目がさめると、トイレに行くのがこわくて。パンパンになるまで我慢《がまん》してるんだけど、そのままじゃ眠れないだろ」山下が言った。

「オレもこわい」山下につられて、ぼくも告白した。「トイレの前に洗面所があって、そこ

の鏡を見るのがいやなんだ、すごく」

　三人同時に小便が終わった。こういうところが気のあう証拠《しょうこ》だ。

「おまえら、バカだな」河辺は、暗い廊下に出て行こうとするぼくを、ひきとめるみたいに言った。「そんなにいやなら、トイレに行かなきゃいいじゃない」

「だって」

「オレなんか、ベッドの横の窓をちょっと開けて、そこからしちゃう」

「外に？」

「そう」

「おまえんち、六階だろ」

「バーカ。ベランダだよ。そこんとこにコケが生えちゃってる」

　山下は、顔をしかめてちょっと笑うと、「暗いとこってきらいだよ、オレ」と口をとがらせた。

「なんでだと思う？」河辺の声が低くなった。「なんで人間は暗闇がこわいんだ？」

「そりゃ……なんでかな」山下は考えこんだ。「お化けがいそうな感じがするし……」

「そういうのは人間の本能じゃないの」ぼくが言うと、

「そこをもっとつきつめて考えてみろよ」と声がまた黄色くなる。

「しぃっ」

河辺は貧乏ゆすりをしている。突然やつの頭に、なにかひらめいたんだろうか。まったく。いつだって、なんにも考えてないのは、そっちじゃないか。こんな時間に、こんな場所で「つきつめて考えろ」なんて言いだすことじたい、なんにも考えてない証拠だ。

「そこになにがひそんでいるか、わからないからかな」しかたなく話にのると、

「そうなんだよ」と河辺は、大きくうなずいた。「つまりわからないってことが、こわいのモトなんだよ、結局」

「こわいのモト？」

「たとえばさ」

河辺はますます頭がさえわたってしまったようで、夜中にトイレに行く時さえ忘れないメガネの奥で、目をらんらんとさせている。ぼくたちは、それぞれ腕組みして三角形に向き合っていた。井戸端《いどばた》会議じゃなくて、クソ端会議だ。

「たとえば、幽霊《ゆうれい》とかお化けとか、それから妖怪。そういうものって、すごいいろんな種類があるだろ。オレは妖怪図鑑を持っているけれど、そこに出ているだけで百種類以上ある。外国のお化けも入れればもっとだろ」

コンクリートのトイレの壁に、河辺のひそひそ声が吸いこまれていく。遠くで柱時計が二時を打った。

「あんなにたくさんの妖怪やお化けを、人間は想像したり、名前をつけたり、絵にかいたり

する。それは、正体がわからないものがいちばんこわいっていう証拠だよ。はっきり姿を決めて、名前をつけてしまえば、お化けってこういうものだとわかる。わかってしまえば、少しはこわくなくなる。そうじゃないか?」

「じゃあ、さっきミソナメの話をしたのも」

「こわくなくなるため、ということに、なる」

「そんなもんかな」山下は、ますます考えこんでしまった。「オレ、こわかったけど」

「こわくて普通じゃないの」ぼくが言った。「もどろうよ」

ぼくたちは、暗い廊下を一気に走った。河辺の言うことがほんとうなら、あいつはまだ妖怪図鑑を読みたりていないのだろう。

13

空がすごく高い。雲はくっきりと地図に描かれた島のように浮かび、とんびがすうっと空を泳いでいる。秋はもう、高いところから降りて来はじめている。島の高台《たかだい》に森があり、その森のなかにぽっかりとグラウンドがあった。ただの空き地みたいなものだけれど、サッカーゴールだけはちゃんとある。森にかこまれたその場所でも、海の音は聞こえてきた。

午前中は、ドリブル、リフティング、パスをみっちり練習し、午後はふたつに分かれて練習試合。ぼくのチームの六年生は、ぼくと山下、河辺《かわべ》、あと二人。四、五年生も入れ、各学年を片寄らないように縦《たて》わりにした。

「キーパーは山下。いいよな」

「またぁ」山下が不平を言う。足がのろいので、ついゴールキーパーばかりやらされるハメになるのだ。

「責任重大だからいやだよ」

「文句言うな。オレたちが、がっちりディフェンスしてやるから」河辺にそう言われると、山下は黙った。杉田と松下のチームに負けたくないのはぼくも同じだったので、「頼むよ」

とやつの肩をたたくと、なんとなくうらみがましいような顔をしている。

「おまえ、キーパー向いてるんだから」

山下は「横幅《よこはば》が広いからだろ」と捨て台詞《ぜりふ》を残してとぼとぼとゴールの前に行った。

「気合入れてこうぜ！」杉田が叫んだ。キザなやつだ。ぼくもなにか叫ぼうと思ったけれど、なんて言ったらいいか考えているうちに、ホイッスルが鳴って、試合がはじまった。

河辺はとにかく足が速い。敵のなかを稲妻《いなずま》のように駆けぬける。からみついてくる杉田をぶっちぎり、ぼくにパスを送り、ぼくは敵のキーパーの松下が、ぴくりとも動けなかったくらいするどいシュートを決めた。うっとりするような連携《れんけい》プレイだ。

「突っ立ってんなよ！」杉田がコーチみたいにどなった。勝手にわめけ。あいつはいつもそうだ。試合となると、自分がいちばんえらいみたいに態度がでかくなる。

杉田は河辺にはちょっとかなわないけれど、やはり足が速い。それになにより、ボールの細かいさばき方がうまいのだ。リフティングなんか、軽く百回以上できる。ぼくなんか、せいぜい二十回がいいところなのに。あいつがちょこまか動き出すと、ボールはまるで杉田の飼《か》い犬になったみたいにその足もとから離れようとしないのだ。

相手のチームは、ほとんど杉田のスタンド・プレイばっかりだ。やつはボールをひとりじめし、ぼくたちのディフェンスをこざかしくくぐりぬけ、連続三回もシュートを決めていた。一度なんか、ぼくの股《また》のあいだをボールがすりぬけ、それをふたたび自分のものにした杉田

が、シュートを決めたのだ。くやしい。山下は、ほとんど絶望的におろおろしてしまい、目ばかりきょろきょろさせて手も足も出ない。コーチが「山下、動け！」と叫ぶ。するとやつは、泣きそうな顔でゴールの前をうろつくのだ。

杉田はシュートを決めるたびに、「こんなことは朝メシ前さ」と言わんばかりに、あごをちょっと上に向け、前髪を後ろにはらいのける。そのキザなしぐさを見ては、河辺が例の貧乏ゆすりをしている。

「ズボンが落ちるぜ」ぼくが言うと、

「きえぇぇぇぇえっ！」と奇声《きせい》を発して、河辺はいきなり空手《からて》のまねみたいにシュッシュッシュッと手足で空《くう》を切った。河辺より体のでかい五年生がそれを見て、くすくす笑っている。どうせ叫ぶなら「しまっていこう！」とか「いくぞ！」とか「ファイト！」とか、もうちょっとなにかありそうなのにと、ぼくは自分で叫ぼうと思った時はなにも思いつかなかったくせに、やれやれと頭をふった。

ころんだ四年生は泣きだすし、シュートは決まらないし、ぼくのチームの苦戦が続いていた。杉田がゴールに突進している。センターバックのぼくは、迎えうつ態勢をとった。河辺が執念《しゅうねん》深くしがみつくように杉田を追っている。

その時ぼくは、斜《なな》め前方にいる杉田のチームの五年生に気づいた。両手を大きくふって、まだゴールには距離のある杉田に合図している。

「あいつをマークしろ！」と、ぼんやり鼻クソをほじくっていたライトバックの四年生にぼくが叫ぶのと、コーチが「杉田、パスしろ！」と怒鳴《どな》ったのと、ぼくの左横をボールがすごく飛んだのは同時だった。すごいロング・シュートだ。杉田は五年生を無視したのだ。

「やられた！」とふりかえった時、山下はゴールの前に顔をこわばらせて立っていた。クルマのヘッドライトに目を射《い》すくめられた猫のように、目を大きく見開いている。そのあとのことは、ほんの一瞬なのだけれど、ぼくにはビデオのコマ送りのようにはっきりと見えた。ボールがぐ、ぐ、ぐ、とひとコマずつ迫る。山下の表情に、恐怖《きょうふ》が表れ、次に目がすわり、やつは口もとをぐっと結び、目をしっかりと閉じた。

「動け、いや動くな、取れ、とれぇぇぇぇぇぇぇぇぇっ！」

コーチが絶叫した。次の瞬間、ボールは一瞬静止した。山下の顔面に、はりついたように。

グラウンドの上をボールは勢いよく何度かバウンドし、やがて河辺の足もとで止まった。でも、だれも動かなかった。その場にいる全員が、棒立ちの山下の真っ赤になった顔を茫然《ぼうぜん》と見ている。

「山下、ナイスプレイ！」河辺は叫ぶと同時に、ボールを大きくキックした。

「おまえら、ほんとにいいトリオだよ、まったく」

よほどぼくたちに負けたのがくやしかったのだろう。夕食の時、広間の畳《たたみ》の上にならんで

座ったぼくたちを前にして、皮肉っぽい口調で杉田が言った。あれからぼくらのチームは抜群にさえまくり、逆転勝ちしたのだ。

「小便だって、三人そろわなくちゃ行けないもんな」杉田はにやにやしている。「こいつらさあ、お化けがこわくて三人連れでトイレ行ってるんだぜ」

「三人そろって、連れショントリオ」松下が、待ってましたとばかりに言った。「ママ、オシッコついてきてぇ」

山下が、ぴく、とした。さっきの顔面ボール受けで鼻血が出たので、まだ鼻の穴に脱脂綿《だっしめん》をつめている。

やつらの声は、四、五年生にまで聞こえているだろう。隣のテーブルのコーチがわっはっはっと豪快に笑った。ぼくはなんだかコーチに裏切られたような気分になった。だいたい大人ってのは、ちょっと無神経なところがある。

「こわいもんか、お化けなんて」

「嘘《うそ》つけ」杉田の部屋は、トイレの近くだったのを思い出した。昨夜《ゆうべ》、見られていたんだ、きっと。

「じゃ、おまえはこわくないのかよ」河辺が険悪《けんあく》な声を出した。くすくす笑っていた連中は、それでも静まらなかった。

「こわくないね」杉田は涼しい顔をしている。ほんとにいやなやつだ。「お化けなんか、い

るわけないもんね」

「いたらどうするんだよ」

「ちょっとテーノーなんじゃないの」杉田は、おもしろそうに河辺の顔をのぞきこんだ。

「幼稚園《ようちえん》行ったら」

松下が、さもおかしそうに笑った。

「いるかいないか、どうしてわかるんだよ」

「あのね。人間は死んだら、それでおしまいなの。だからお化けなんかいないの。霊魂《れいこん》だとか、天国とか地獄《じごく》とか、そういうものは、弱い人間の考えることなの。ダメなヤツが、そういうことを考えて、自分をなぐさめるの。おとうさんが言ってたもんね」杉田は、小さい子に言ってきかせるように、ひと言ひと言ゆっくりとしゃべった。ぼくはやつの肉の薄いカギ鼻を、はりとばしてやりたくなった。

「お味噌汁《みそしる》のおかわりはいかが」腰のまがったおばあさんが、お鍋《なべ》をかかえてやってきた。コーチのおばあさんだ。

「あ、ぼく、ください」杉田とのいざこざから抜けられる、とばかりに山下がおわんを差しだした。おばあさんは、白身《しろみ》の魚の入った味噌汁をたっぷりとついだ。

コーチのおばあさんは、いったい何歳くらいなんだろう。八十か、九十か、それよりもっといってるのか、ぼくにはよくわからない。頭よりも背中のほうが上に盛りあがっているく

らい、ひどく腰がまがって、なんだか人間離れした感じがする。今まで会ったなかでいちばんのお年寄りであることは間違いない。

ぼくは去年もおととしも、このおばあさんに会っているのだけれど、去年まではなんとなく『お年寄り』というふうにしか見ていなかったことに気がついた。でもそういう見方はちょっとちがうんじゃないか、と思う。つまり、コーチのおばあさんは、ぼくたちがいつも会っているおじいさんとはぜんぜんちがう。もっともっと歳《とし》をとっているし、海辺《うみべ》で暮らしているせいだろう、黒く焼けた肌《はだ》は、しわが深くかたそうだ。口もとは、しわにかこまれた裂《さ》け目のようで、くちびるはどこにいっちゃったのかな、という感じなのだけれど、その奥の歯は、頑丈《がんじょう》そうで、おじいさんみたいに抜けたところなんかない。左の頬《ほお》に、大きなほくろがある。そういう細かいことが、とてもよく見えてくるのだ。

「お味噌《みそ》汁《しる》、ほんとにおいしい」おわんを受けとって、山下はすぐにひと口飲んだ。

「昼間、たくさん汗をかきなすったから」

おばあさんは、ぼくに手を伸ばした。おばあさんの指は、こわばったように少し変形している。ぼくはそっと、おわんをわたした。

「お味噌がおいしいんだよ、きっと」山下はおわんをのぞきこみながら、うん、とひとりでうなずいた。

「このお味噌、ここで作ったものですか」

「この家ではもう、味噌は作っとらんの。作ろうったって、まあ無理なことだけど」

「どうして」

おばあさんは、ぼくの前にそろそろとおわんを置くと、「それはの」と座り直した。「や、この話はやっぱりよそ」

「話してよ、お願いだから」なにかある、とかぎつけたように河辺が勢いこんだ。

ぼくたちは、期待しておばあさんの顔を見た。おばあさんは、こわい話が得意なのだ。それも、この島でほんとうにあったということばかり、毎年話してくれる。今年はついに、この家が舞台《ぶたい》らしいと思うと、ぼくはわくわくした。

「他言無用《たごんむよう》ですぞ。よろしいか」おばあさんは、大きな目でぼくたちをぐるりと見まわした。ぼくと山下と河辺、それから杉田と松下もお箸《はし》を置いて、身を乗りだしている。ほかのテーブルの連中には、聞こえないだろう。

「この家はな、味噌をさかんに作っとるころは、それはそれは立派な、このあたりではいちばんの身代《しんだい》だったのだと。それがなぜ、味噌をやめてしまったか。これは早くに死んだ姉様《あねさま》から聞いた話だけれども」

おばあさんは、ここでひと息入れた。ぼくたちの注意をさらにひきつけるためなら、効果テキメンだ。

「ここで死んだ女がいるの」

げっ、と河辺が言い、山下は女の子のように口に手をあて、杉田は「そうくると思った」という顔で松下を見、松下は気の弱そうな笑いでそれに答えた。

「もう何代も前のことだけれど、この家の亭主に極道者《ごくどうもの》がおったのだと。入《い》り婿《むこ》で、はじめはまじめによく働く男だったのだけれど、だんだん怠け癖《なまぐせ》が出るようになって、ぶらぶらしていた。死んだ女というのは、近くの金貸しの出戻りで、どこでどう、できあがってしまったものか、亭主はその女と……」おばあさんは、しわくちゃの口もとを、ぱく、と閉じた。

「フリンしてたんだ！」杉田が叫んだ。

おばあさんは、杉田をたしなめるように、ちょっとこわい顔をしてうなずくと、「女を裏口からしのびこませては、味噌蔵《みそぐら》のなかで、逢《あ》い引《び》きしておったのだと」

食事をするまわりのざわめきのなかで、おばあさんの声は、とても低いのに、よくとおった。

「ある時、味噌蔵の外で亭主を探す気配がする。あとでむかえに来るからと、女をそこに残したまま自分だけ外に出ると、しっかりと錠《じょう》をおろした。探しておったのは、案のじょう、女房どのだわ。山向こうに味噌を一樽《たる》届けなくてはならないというのに、使用人のひとりが、はしかで寝こんでしまった。すまないが、行ってきておくれでないかね……そこで亭主はしかたなく、自分で荷車に味噌を積んで、出かけて行ったところが……なにがあったのかはだれも知らん……荷車ごと、崖《がけ》から海の岩場に落ちて死んだのだと」

ふん、と小さく笑ったのは河辺だった。「浮気《うわき》なんかするからだよ」

おばあさんは、目を閉じてゆっくりうなずいた。大きくて、歳《とし》とった、考え深いカエルみたいに。

「引き上げられた死体は、下腹《したばら》がざくろのように割れて、それはおそろしい死にざまだったのだと。主《あるじ》のいなくなった味噌蔵《みそぐら》の鍵《かぎ》は、女房の手にわたされた。けれど女房は、そこに女がいることを知ってか知らずか、いつまでたっても味噌蔵を開けようとはしない。何日も何日も、厚い扉《とびら》のむこうを爪《つめ》でひっかく音が続き、やがてなにも聞こえなくなった。

「味噌を作らなくなったのは、それから。女房がここを宿屋にしたのは、その出戻りがふいにいなくなったことが、このあたりで噂《うわさ》になっておったからでね。宿屋なら、よそからやってくるお人ばかり。噂も耳にすることはあるまいと」

おばあさんは、ねえ、とぼくたちに同意を求めるように、口を閉じたまま笑った。口のまわりのたてじわがぐいーんとのびて、反対に目は深いしわのなかに隠れてしまう。まるで、素顔だとばかり思っていた人が、いきなりお面をぱっとはずしたみたいで、ぼくはぞっとする。

「仕事はぜんぶ、ひとりの大工《だいく》がやったのだけれど、その大工もここを仕上げると、ぽっくり死んでしまった。死ぬ前にうわごとに言うには、味噌蔵のなかで、女は素《す》っ裸《ぱだか》になって死んでいた……味噌のなかに首だけをすっぽりと突っ込んで、息をつまらせてな。かわいそう

に、しまいには気が狂ってしまったのだろうね。女の顔は味噌漬《みそづ》けになって、少しも腐《くさ》っていなかったのだと。

「今でもこの家には、味噌をよぶんに置いておくことができんの。すぐに生臭《なまぐさ》く、白粉《おしろい》くさくなってしまってな。その女のうらみが、味噌にとりついてしまうんだから、これはもうしかたのないこととあきらめておりますよ」

ぼくたちはしーんとなってしまった。味噌汁に浮いている白身の魚の切れはしが、白粉を塗《ぬ》った女の人の肌のように見える。

「なにより不思議なのは……」おばあさんは、まだまだ、というように、まるまった背中をもっとまるめ、しわしわの首をカメみたいに伸ばして、あごをつき出した。大きな目がキロッと動く。「わしの姉様が、その味噌蔵《みそぐら》のきりきりときしむような爪《つめ》の音を聞いたということなの」

「だって……もっと昔の話なんでしょ……」ぼくはなるべく、さりげない様子できくつもりだったのに、声が裏返ってしまった。

「それは昔々のことだけれども、たしかに姉様は、その音を聞いたと言っておった。忘れられないとな。おそらく、姉様が早くに死んでしまったのは、その音を聞いたせいとわしは思っとる。そうに決まっとる」おばあさんは目を閉じて、ひとりでまた、うなずいた。

「その、味噌蔵なんだけど」杉田がおずおずとたずねた。「どの部屋」

「さあ、それは。姉様から話を聞いたのも、ほんの子どものころのことで。ただ……」

「ただ?」

「こないだお泊まりになったお客さんが、なんだか夜中……」

「夜中……?」

「きりきりきり……と」

「ねえ、どの部屋なのよ!」杉田が黄色い声でわめいた。

「ばあちゃん、いいカゲンにしろよ」不意にぼくの後ろで、コーチのおとうさんが言った。

ぼくは心底ぎょっとした。

「嘘なの。つくり話。こういう話をするのが趣味というか、クセというか。知ってるでしょ」

「そうだ、そうだよね。ははは」杉田は無理に笑おうとしたけれど、なんだかうまくいかない。河辺は貧乏《びんぼう》ゆすりをして、山下はおわんの中に魂《たましい》を吸いこまれてしまったように、味噌《みそ》汁《しる》を見つめている。松下の口は半開きになったままだ。

はいおそまつさま、と立ちあがると、おばあさんはお鍋《なべ》を抱えて、むこうに行こうとした。

「ほんとじゃないんでしょ、ね」ぼくが言っても、ただ笑っている。

「まったく悪いばあちゃんでしょ。今日のなんか、ほんとバチあたりだよ」コーチのおとうさんも、笑っている。でもそのあと、河辺も山下もぼくも、それから杉田も松下も、味噌汁

には手をつけなかった。

その夜、ぼくたちはまた、三人連れだってトイレに行った。オレたちはこわいものはこわい、とまあ開き直ったわけだ。

トイレには、先客がいた。杉田と松下だ。ふたりともこちらに背を向けて、用たしの最中だった。つまり、連れションしていたのだ。おまけに、同じ部屋の五年生を二人連れている。その五年生のふたりが、ただわけもわからずに叩《たた》き起こされて連れてこられたのは明白で、あかあかとついた蛍光灯にふやけた寝ぼけ顔をさらし、ほとんど眠りながら突っ立っていた。これじゃトリオよりひどい。カルテットだ。

ぼくはトイレの扉《とびら》のガラスを爪《つめ》でこすった。きりきりきり。その時の杉田と松下ときたら、ほんとうにケッサクだった。小便をしながら、三十センチも飛び上がったのだ。おかげで、ふたりともパジャマのズボンをぬらしてしまった。いい気味だ。

「おうおう、もらすなよ」河辺がひやかした。

次の瞬間、杉田は河辺につかみかかった。突然だったので、河辺は廊下に押したおされ、やつは反撃する間もなく、杉田にメガネを奪われてしまった。

「ひきょうだぞ」ぼくは、メガネを床《ゆか》にたたきつけようとした杉田の腕をつかむと、やつの上に猛然とのしかかっていった。杉田はメガネから手を放《はな》し、ぼくの髪の毛をつかむ。ぼくはやつの横っつらを思いきりなぐりつけた。杉田は足をばたばたさせ、ぼくの髪の毛を死に

ものぐるいでひっぱった。頭がかあっと熱くなる。それからあとは、もうめちゃくちゃだ。取っ組みあったまま、ころげまわり、けりを入れ、なぐり、かみつく。今までぼくをおさえていたなにかがふいになくなって、体じゅうが目覚め、頭は冴《さ》えわたり、信じられないほどの力がどんどんわいてくる。たぶん、杉田が河辺のメガネをねらうような手を使わなかったら、ぼくはこんなに怒りはしなかったのだろう。でもそれは、あとから考えたことだ。ぼくはただ、自分でも知らなかった自分のなかの扉がカチリ、と音をたてて開いたのを感じていた。そうして前に一度、杉田につかみかかっていった河辺を、ぼくがとめてしまった時のことを頭のすみで思い出していた。あの時、杉田が河辺のおとうさんを侮辱《ぶじょく》した時……あの時みたいな後悔は、もう絶対にいやだ。

「おまえら、なにしてる!」コーチの怒鳴《どな》り声が聞こえても、ぼくと杉田は止まらなかった。ぱん、と驚くぐらいいい音がして、ぼくはコーチにビンタをくらった。

ようやく引き離されると、廊下はいつのまにかあかあかと電気がついている。おたがいのパジャマの襟《えり》をつかんだまま、まだもみあっている山下と松下に、コーチはゲンコツをお見舞いすると、はいつくばってうろうろしている河辺にメガネを拾ってやった。あいかわらずふたりの五年生は、まぬけな幽霊みたいに突っ立っている。

杉田は鼻血を出している。やつのパジャマがひどくしわくちゃになっているのを見て、ざまあ見ろ、と思ったら、ぼくのはボタンが全部とれていた。

コーチは頭から湯気を出している。

「今何時だと思ってるんだ！」

それに答えるように、柱時計がボーンと鳴った。なんだかネジのゆるんだ、のんきな音だ。部屋から顔を出していた野次馬《やじうま》たちが、くすくす笑った。

「関係ないやつは寝ろ！」

突き出ていた首が、ひゅっとひっこんだ。

くちびるがじんじん熱を持っている。さわってみると、自分のくちびるではないみたいだ。

「木山」コーチがぼくをにらんだ。くやしいのでぼくもにらみかえすと、「ひどい顔だぞ。鏡見てみろ」

よろよろ立ち上がって、トイレの鏡をのぞくと、たしかにひどい顔だ。くちびるが、たらこのようにはれ上がっている。

それからぼくたちはコーチの部屋で、体じゅうのすり傷にたっぷりオキシドールを塗られた。すごくしみるやつだ。松下なんか、腕のところにちょっと塗られただけでひいひいさわいで、コーチにもう一発ゲンコを食らった。ぼくは、歯をぐっとかみしめて、杉田をにらみつけながら我慢《がまん》した。杉田は、鼻の穴に脱脂綿《だっしめん》を突っ込んで、やはりぼくをにらんでいる。

「おまえら、昼間のシゴキがたりなかったとみえるな。そんなに元気があまってるなら、これからトイレ掃除《そうじ》しろ、いいな」

えーっ、と山下、河辺、松下。

「だって木山が先に」

「きたないぞ杉田、おまえが」ぼくと杉田は同時にわめいた。

「うるさい！」最大級の雷《かみなり》が落ちた。全員ぴくりとした。「ついでに風呂《ふろ》もだ。ぴかぴかになるまで寝ちゃいかん。いいか、ぴっかぴかだぞ」

ぼくは黙って立ち上がった。こういう時は、潔《いさぎよ》い方が勝ちなのだ。わかったか。

14

「見てよ、ほら、こっち」しゃがみこんだ山下が、うわずった声を出した。つぼみだ。たった四日見なかっただけなのに、コスモスはたしかに大きくなっている。

「あ、ここにも」

空からひっそりと降りてきた秋が、地上で姿をあらわす日を待っているように、時々涼しい風が流れる。もうじき、庭一面に花が咲くのだ。

「びっくりさせてやろう」河辺《かわべ》は、塾《じゅく》の鞄《かばん》のなかから、カエルのぬいぐるみを取りだした。島のおみやげ屋さんで、ぼくたちはおじいさんのためにそのカエルを買った。目と目の間が離れているところが、メガネをとった時の河辺にそっくりなのだが、本人はそれに気づいていない。「おかしな顔をしているけれど、なぜか気に入ってしまった」と、帰りの新幹線のなかでしげしげと見ているのには、ぼくも山下も笑った。

「おい、賭《か》けようぜ」河辺が言った。「おじいさんが、なにしてるか」

「昼寝」山下が言った。

「風呂《ふろ》そうじ」河辺が言った。

ぼくは、なぜだか考えつかなかった。「思いつかないよ」

「想像力のないやつだな。なんでもいいから言えよ」

「じゃ、爪切《つめき》り」

よし、とぼくたちは縁側に近づいた。

窓はほんの少し開いている。網戸《あみど》ごしになかをのぞくと、布団《ふとん》の上におじいさんは横たわり、薄い夏がけをかけたおなかの上で両手をゆったりと結んでいる。ぼくたちは、そろそろと網戸を開けた。

「オレの勝ち……」山下がささやいた。でも次の瞬間、ぼくたちは同時に気づいていた。奇妙なくらいはっきりと、体の奥で感じとっていたのだ。眠っているんじゃない。

その部屋を充《み》たしていたあまい匂《にお》いは、ぶどうの匂いだった。おじいさんのまくらもとには、遠くの火事に照らされる夜の空のような色をしたぶどうが四房《ふさ》、鉢《はち》に盛ってあった。ぼくたちと食べようと、まくらもとに置いて眠りについたのにちがいない。

「遠足に行く前のガキみたいだね」山下が、泣きはらした目をT《ティー》シャツの袖《そで》でぐいとぬぐった。河辺は部屋のすみで、背中を向けてしゃがみこんでいる。時々、押し殺したかぼそいうめき声が、聞こえてくる。

ぼくは黙ってぶどうの実をひとつつまむと、ゆっくりと皮をむいた。水気《みずけ》をたっぷりとふくんだ小さな実が、ぼくの手の上にふるえながらうずくまっている。

「食べてよ」ぼくは、ぶどうの実をおじいさんに差し出した。「ねえ、食べてよったら」

眠っているような死に顔、とよく本なんかに書いてあるけれど、おじいさんは眠っているようにはどうしても見えなかった。決してやすらかでない、という意味ではない。おじいさんは、とても満足そうに、少し笑っているようにさえ見える。でも、眠っているのとは、違う。死んでいる。ここにあるのは、おじいさんの抜《ぬ》け殻《がら》で、おじいさんそのものではない、そんな感じだ。おじいさんはもう、この体でもって、ぼくと話をしたり、いっしょにものを食べたりすることは、絶対にないのだ。おじいさんの顔は、少し小さくしぼんだようになり、つやのよかった頭のはげたところは、枯《か》れ草《くさ》がたおれているだけの乾《かわ》いた土地のようだった。

それは、ぼくが初めて見る死んだ人だけれど、ぼくは少しもおそろしいとは感じていなかった。お化けや幽霊《ゆうれい》や妖怪《ようかい》といった、ぼくたちがこわがりながらも興味しんしんだったものたちはその時、ぼくの頭のなかからすっかり遠のいてしまっていた。おじいさんの体は、長い間着古した服のように、やさしく、親しげに、そこに横たわっている。

おじいさんに話したいことがたくさんあった。練習試合の時のこと、味噌《みそ》蔵《ぐら》に泊まったこと、おばあさんがしてくれたこわい話のこと、生まれて初めての大ゲンカのこと、夜明けまでかかったトイレ掃除のこと、島で見たお墓《はか》のこと、魚の背のように光る海のこと、海にもぐると自分の体のなかの音が聞こえること……そんなぼくの話や問いかけに、おじいさんがどういう反応《はんのう》を示すかということが、不思議なくらいありありと目に浮かぶ。少し前までは、

おじいさんの顔を思い出すことさえできなかったのに。合宿《がっしゅく》の間も、ぼくは夜眠る前に、空想のなかでおじいさんとその日の出来事なんかについて、いろいろと話し合っていた。帰ってからの会話を予行演習するみたいに。それはほんとうに、ほんとうに楽しかった。ぼくは布団《ふとん》をかぶって、ほかのやつらに気づかれないように、くすくす笑ったり、怒《おこ》ったり、自慢してみたり、泣きそうになったりしながら眠りについたのだ。

ぼくはぶどうを、おじいさんのくちびるにそっと押しあてた。果実《かじつ》の汁《しる》が、おじいさんのこわばったくちびるをほどいてくれることを期待して。なにか言ってよ。なんでもいいから、なにか言ってよ。もし、ひと言でもなにか言ってくれるなら、ぼくは一生、おじいさんの奴《ど》隷《れい》になってもいいよ。草とりだってする。アンマだってする。毎日ゴミを出して、洗濯《せんたく》だってする。お刺身《さしみ》だって、毎日食べさせてあげる。だから、まだ行っちゃいやだよ……。

でも、なにも聞こえなかった。その時、ぼくは初めて泣いた。

福祉《ふくし》事務所の人が、監察《かんさつ》医務員というお医者さんを連れて来ると、あとはもう、すみやかにすべてが運ばれた。突然、おじいさんの家は、大人たちに占領されてしまったのだ。ぼくたちのしたことと言えば、警察の人の質問に、ほんの少し答えただけだった。何時ごろに来たの？　ここの家になにか用があったの？　ここのおじいさんとは、どういう関係？　どうしてここの家に来たの？

「来たいから来ただけだよ！」いらいらした河辺が叫ぶと、質問はそれきりになってしまった。

近所のおばさんたちの視線にさらされながら、それでもぼくたちはおじいさんを見まもっていた。暗くなったころ、ぼくと山下のおかあさんがむかえに来て、ぼくたちは家に帰った。帰りたくはなかった。でも、「帰りたくない」と言うこともできないほど、体じゅうの力がぬけてしまっていた。

その夜、ぼくは眠れなかった。いろいろなことが次から次へと思い出されて、自分の部屋の窓から、外をいつまでも見ていた。ビルやマンションにふさがれて、おじいさんの家は見えない。今、あの家にあかりはついているんだろうか。だれかいるんだろうか。暗い部屋のなかに、テレビだけがついている。そのゆらゆらとした青い光のなかで、おじいさんがひとりきりでぶどうを洗っている後ろ姿が、ぼくには見えるような気がした。ぼくは小さく「ここにいるよ」とつぶやいた。すると、胸のなかにぽっかりあいた穴のようなものが、少しだけ、やわらかなものでふさがれるような気がした。ぼくは何度もつぶやいた。ここにいるよ……。

遠くで花火の音がする。暗い空に、姿のない花火の音が、ひとつ……ふたつ……そうしてぼくは、いつのまにか眠っていた。

翌日。おじいさんの家は、網戸が取りはずされ、ガラス戸が開け放たれている。そのむこうの、小さな祭壇《さいだん》、白い菊《きく》の花、その部屋に置くにはなんだか異様に大きく思えるお棺《かん》……。

地方からやってきた、おじいさんのおにいさんの息子という人が、町内会の人たちと、縁側にぼんやり座《すわ》りこんでいる。近所のおばさんが三、四人ずつかたまって、庭でひそひそしゃべっている。みんな、黒い服が暑くてたまらないというように、扇子《せんす》やハンカチを手にして、足もとによってくる蚊《か》をはらいのけながら、コスモスを踏みつけたりしている。やがて、三十分も遅刻したお坊さんがさっさとお経《きょう》をあげ、お焼香《しょうこう》をすますと、お棺《かん》のふたが開けられる。おじいさんは信じられないほど小さくこわばって、ぼくは「見たくない」と思う。「これはおじいさんじゃない」と思う。河辺と山下が、泣きだす。ぼくも泣きだす。でも、すべてがぼんやりとした膜《まく》におおわれているようで、泣いているぼくとは別のもうひとりのぼくが、眠りこんでいるような感じなのだ。

知らないおじさんのクルマで火葬場《かそうば》につくと、大きな鉄の扉《とびら》が待っていたようにごとりと開いて、おじいさんを飲みこんでしまった。すみやかに、なめらかなレールに乗って。

「煙、ほんとにちょっとしか出ないね」

「うん」

ベンチに腰かけて火葬場の煙突《えんとつ》を見あげながら、ふいにぼくは、今日がすごく暑いということに気づいた。ほんとうに暑い。まるで去りかけていた今年の夏を、もう一度呼びもどし

たみたいに。

「カエル、買ってきてよかった」合宿のおみやげのカエルのぬいぐるみを、河辺はお棺《かん》のなかに入れたのだ。

「ちょっと、きみたち」黒いネクタイの襟《えり》もとをゆるめながら、おじいさんのおにいさんの息子というおじさんが近づいてきた。「ちょっとききたいことがあるんだがね」おじさんは、ぼくたちをつめさせると、ベンチに腰を下ろした。「叔父《おじ》のことなんだけれど」

それがおじいさんのことだとわかるのに、ぼくは数秒かかった。この人は、おじいさんの甥《おい》だというのに、ぜんぜん似てもいなければ、おじいさんが死んでもうれしくも悲しくもないという顔をしている。

「叔父がね、ある女の人に、お金を遺《のこ》しているんだ」

ぼくたちは顔を見あわせた。古香弥生《こうやよい》おばあさんにちがいない。

「まったく、けっこうためこんでるのには驚いたよ」おじさんは、鼻の頭の汗を拭《ふ》きながら言った。ハンカチは、趣味の悪いチェックの模様だ。こんな日くらい、白いハンカチを持ってくればいいのに。「それで、その女の人の居所《いどころ》を、きみたちに聞いてくれって、叔父は書いてるんだ」

「なにか、手紙かなにか、あったんですか」河辺が勢いこんでたずねた。

「そう」おじさんはおもしろくなさそうに、答えた。「いつか自分が死んだら、きみたちの

うちのだれかに必ず連絡してくれって書いてあった」

それを聞くと、ぼくたちはほんとうに打ちのめされた。

「オレが悪いんだよ。オレが、死んだ人を見たいなんて気を起こすから……」河辺が鼻声を出した。

「泣くなよ」ぼくは煙突を見上げた。もし、おじいさんなら、言うだろう。泣くな、と。けれども河辺はますます激しく泣きだしてしまった。

「三人名前が書いてあったけど、最初はきみたちだとは思わなかった。だってまさか」

「こんな子どもだとは思わなかった」ぼくはそう言って、おじさんをふりかえった。

「ま、そうだね」おじさんは、少しどぎまぎした様子で立ち上がると、「だれもいなかったんだね。まあ、勝手なことばっかりしてたんだから」と言い捨てて行ってしまった。

煙突の先の白い煙は、空の青さにとけるように消えていく。ぐっと目を開き、そのぼんやりとした煙をにらむ。すると、それは上空の風に吹かれて、気分よさそうにかすかにゆれた。ぼくはしっかりと見とどけなくてはならない。最後まで、決して目をそらしてはならない。

おじいさんの骨のかけらは真っ白で、平らなものもあれば、まがったものや、貝の化石みたいなのもあった。ふたり一組で、お箸《はし》で骨壺《こつつぼ》に入れる。河辺とぼくが、そっと、おそるおそる持ち上げたのは、蘭《らん》の花の芯《しん》のような形をしていた。葬儀屋《そうぎや》さんが「これは喉《のど》のところ

の骨です。こういう形がきれいに残っているのは、ありがたいことですよ」と教えてくれた。河辺も山下もぼくも、神妙にかしこまって、葬儀屋さんの言うことを聞いていた。もうおじいさんは、ぼくたちの手のとどかないところに行ってしまった。ぼくはおじいさんの骨を見て初めて、もしかしたらおじいさんが生き返るかもしれないと心のどこかで思っていたことに気づいた。でも、そんなことはもうないとわかった今、ぼくの心は、不思議なほど静かで、素直な気持ちにみたされていた。

もし、もっとおじいさんが生きていてくれたら、ぼくはいろいろなことをおじいさんに話せたし、ときには相談にだってのってもらえただろう。受験はすごく不安だし、自分が将来なにになりたいのかもぜんぜんわからない、そういう悩みなんかを聞いてもらいたかった。夏になったら、またいっしょにすいかを食べたり、花火だってあげてくれたかもしれない。ぼくが大人になったら、いつかのようにいっしょにお好み焼き屋でビールを飲むことだってできただろう。そうすることができないのは、すごくさびしい。心細い。だけどそれは、結局はぼくの問題なのだ。おじいさんは、充分、立派に生きたのだ。おじいさんの白い骨が、ぼくにそう教えてくれている。ほんとうに、めいっぱい生きたのだ、と。ぼくもがんばるよ、ぼくはおじいさんに、心のなかで話しかけていた。

やがて乾いた音がして陶器の骨壺《こつつぼ》のふたが閉められると、ぼくたちの夏休みが終わった。

15

「今日、塾《じゅく》は休む。いいな」十月最初の木曜日、昼休みに河辺《かわべ》が言った。「いよいよ明日から、はじまるらしい」

山下とぼくは、黙ってうなずいた。

放課後、ぼくたちはおじいさんの家に集合した。コスモスが庭いっぱいに咲いている。背も低く、花も小ぶりだけれど、雑草のなかでそいつらは、小さな火が燃えているようだ。

「ここ、どうなっちゃうの」山下は、閉まった雨戸《あまど》をそっとなでている。「マンションかなんか、建つのかなあ」

玄関の扉《とびら》も鍵《かぎ》がかかっていた。ノブが砂ぼこりでざらざらする。河辺は黙ったまま庭をぶらついていたかと思うと、急にぺたんとしゃがみこんでしまった。そうして貧乏《びんぼう》ゆすりをせっせとしはじめた。

明日から、この家の取り壊《こわ》しがはじまる。ほんの一カ月ほど人が住んでいなかっただけで、家はずいぶん荒れた感じになってしまっていた。緑色の雨どいも、ベージュの板壁《いたかべ》も、みんなくすんでいる。ぼくは、洗濯物《せんたくもの》のロープがいつのまにか、なくなっているのに気づいた。お葬式《そうしき》の日にも、なかっただろうか……。

それからぼくたちは黙ってコスモスをつみ、その庭をあとにした。玄関のところで、山下はふりかえると、端《はし》の欠けた敷石《しきいし》をじっと見ている。いつか、山下がお刺身《さしみ》を置いた、あの敷石だ。

「行くぞ」河辺はコスモスの束《たば》に顔を突っ込むようにして、ずんずん歩いて行ってしまった。

「オレ、心配なんだ」山下が言った。「この家のこと、忘れちゃうんじゃないかって思うと」

ぼくもそれは同じだった。自分の部屋で、おじいさんのことを思い出そうとする。すると、思い出そうとすればするほど、いろいろなことが抜け落ちていくみたいな気がして、いてもたってもいられないような気持ちになるのだ。

「だからこの敷石だけは、ぜったいおぼえてようって思う。オレ、頭悪いけど、ひとつくらいならおぼえてられると思うんだ」

ぼくは涙が出るほど強く目を閉じる。まぶたの裏に光が点滅《てんめつ》し、それからぱっと目を開く。すると玄関の扉を開けて、顔をのぞかせたおじいさんが、一瞬見えた。ばこん、という扉の開く音まで聞こえた。

「この花、自分の部屋に飾るんだ」ぼくはそう言って、鍵《かぎ》のかかったままの扉に背を向けると歩きはじめた。

「オレも。机の上に飾る」

「それでもっと勉強する」

「そうだな。やらなきゃな」
いやだいやだと思っていた気持ちは、もうすっかりふっきれていた。ぼくは毎日、おなかをすかせた動物みたいに、問題集に食《く》らいついていた。受験はもうすぐなのだ。

おかあさんが入院したのは、コスモスが花びんのなかでしおれはじめたころだ。お酒を飲んでいたせいだろう、肝臓《かんぞう》が悪いということだった。最初、おとうさんは、おかあさんの病気のことを聞くと、怒った。不愉快《ふゆかい》でたまらないというように、おかあさんを「バカ」とののしった。おかあさんは「ごめんなさい、ごめんなさい」と泣いていた。でも、入院してしばらくたつと、おとうさんは会社の帰りによく病院のおかあさんのところに寄るようになった。今までは、仕事だ仕事だとばかり言っていたのに、早く帰ってくるようになったのだ。ぼくはまた塾が夜遅くまであるようになったけれど、そんなおとうさんとふたりで、おかあさんのいない生活をなんとか乗りきった。お弁当を買って夕食をすます日がほとんどだったけれど、おかあさんの料理の本を見て、簡単なものを作ったりもした。焼き魚とか、サラダとか。オムレツはぐちゃぐちゃになってしまったけれど、おとうさんは、おいしい、と言って食べてくれた。ぼくは、ある日曜日、おとうさんが作ったシチューが忘れられない。おとうさんは半日かけて野菜や肉を煮《に》こみ、すごくおいしいシチューを作ってくれたのだ。ぼくたちはそれを鍋《なべ》ごと病院に持って行って、おかあさんと三人で食べた。おかあさんが、シチ

ューを食べながらまた泣いたのには、ぼくは正直いってまいったが、おとうさんの「食べなさい」という声があまりやさしかったので、ぼくまでなんだか喉《のど》の奥がすっぱくなってしまった。

病院からの帰り、おとうさんがぼくにきいた。「おまえ、大人になったら、なんになる」ぼくはびっくりした。そんなことをおとうさんにきかれたのは、すごく小さい時を別とすれば、初めてだったのだ。

「わからないけど」ぼくはちょっと考えた。「何ってわけじゃないけれど、なにか書こうと思う」

「もの書きか」今度はおとうさんがびっくりする番だった。「小説家か」

「そんなの、なれるかどうかわからないけれど」ぼくは耳まで熱くなってしまった。「だけど、ぼくは書いておきたいんだ。忘れたくないことを、書きとめて、ほかの人にもわけてあげられたらいいと思う」

おとうさんは黙ってぼくの言うことを聞いていた。

「いろんなことをさ、忘れちゃいたくないんだ。今日のことだって書くと思うよ、きっと」それからきっと、今年の夏休みのことも、とぼくは心のなかでつけたした。

「そういうのも、いいかもしれないな」

おとうさんは、ゆっくり空を見上げた。オリオン座が輝いている。空はもう、すっかり冬

だ。

秋から必死に勉強したかいあって、ぼくは私立《しりつ》中学に合格した。おとうさんはすごく喜んで、ぼくに立派な皮ばりのノートと外国の万年筆を買ってくれた。『未来の作家先生へ』と書いたカードがはさんである。これはやりすぎだよ、とぼくは思ったが、ほんとうはワープロがほしかったのに、と言うのはやめにしておいた。

ぼくはそのノートを使って、『Y《ワイ》くんのこと』という短い物語の構想を練《ね》った。卒業文集には間に合わなかったので、クラスでそれぞれ得意なものを作って持ちよるお別れ会をした時、ぼくはその物語を清書して、みんなの前で読んだ。前の日、眠れないほど緊張したけれど、結果はなかなかなものだった。教室は爆笑の嵐《あらし》。先生に「謝恩会《しやおんかい》でも、やってくれ」とまで言われて、ぼくは生まれてからいちばん、というほどいい気分を味わった。もっとも主人公のモデルになった山下は、「これって結局、太ったヤツが女の子にフラれる話だろ」と機嫌《きげん》が悪かったけれど。

山下は、残念ながら受験に失敗した。

「まあ、これでオフクロも、オレが魚屋になるのを許してくれるかもしれない」と言っている。山下はあいかわらず太っているうえに、さらに背が伸びて、『魚屋のオヤジ』みたいな風格がでてきた。オフクロ、なんて言葉を使うのは、ぼくたちのなかでやつが初めてで、ぼ

くと河辺はすっかり感心してしまった。

河辺は受験しなかった。おかあさんが再婚することになって、相手の人の仕事の都合でチェコスロバキアという国に引っ越さなくてはならないのだ。

卒業式の日、ぼくたちは三人で卒業証書の筒《つつ》を持って、学校からの道を歩いていた。

「残念だよな」山下がぽつりと言った。「木山、せっかく田島から、バレンタインのチョコ、もらってたのに」

山下は、田島ともこや酒井あやこといっしょの公立の中学に行く。ぼくはちょっとうらやましい。

中学になるので楽しみなことと言ったら、長ズボンがはけることくらいだ。ぼくはあいかわらずひょろひょろだけれど、長ズボンでもはけば、少しはかっこうがつきそうなので。

「でも、新しい学校でも、またたれかいるよね」山下は、黙っているぼくのかわりにそう言った。

「杉田や松下みたいなやつも、きっといるだろうな」ぼくのなかで、この六年間に会ったいろんなやつの顔が浮かんだ。

「どんなやつだってかかってこい、だ」河辺が言った。

「チェコスロバキアって、どんな国かなあ」山下は、卒業証書の筒で自分の膝《ひざ》をぽんぽんとたたいて、リズムをとりながら歩いている。

やがてぼくたちは立ち止まった。前におじいさんの家のあったところだ。まわりの家も壊《こわ》され、今はそのあたり一帯が駐車場《ちゅうしゃじょう》になっている。

「オレさ」すっかりアスファルトでおおわれてしまった地面を見つめて、河辺が言った。その下には、ぼくたちがコスモスを植えた庭が眠っているのだ。

「オレ、おかあさんに再婚したいって言われた時、最初はいやだって言ったんだ。あんなにおとうさんがほしいって思っていたのに、いざ、知らない男の人が『おとうさんだよ』なんて現れるとさ。それに、おかあさんが、日曜日までお洒落《しゃれ》して出かけるようになったのも、気に入らなかったし。だけど、その夜、考えたんだ。もし、おじいさんだったら、なんて言うかなって」

「それでOK《オーケー》したんだ」

河辺はうなずいた。ぼくは、河辺の気持ちがよくわかった。ぼくも、『もしおじいさんだったら』ということをあいかわらずよく考える。すると、自分ひとりでくよくよ考えているよりもずっと、すっきりと答えが出てくるのだ。それは、『思い出のなかに生きている』なんていうのとは、ちょっと違う。もっとたしかな、手ごたえのある感じだ。

「オレ、うまくやっていくよ。遠い外国で、家族三人暮らすんだ。うまくやってかなくっちゃね」河辺は、自分で言って、うん、とうなずいた。

「おまえ、すごく男らしい」山下が言った。

「そうかな」

「そうだよ」

それ以上そこにいるとなんだか胸がいっぱいになってしまいそうだった。黙って歩き、四つ角のところで、「元気でな」と言って別れた。それ以外、なにも言う言葉が見つからなかった。ぼくは右に、河辺は左に、山下は真っすぐ歩きはじめる。一歩、二歩……決闘でもするみたいに、ぼくは歩数をかぞえながらのろのろと歩いた。もしそのままだったら、ぼくは家までずっとそうして歩いただろう。でも、十歩も行かないうちに、ふいに山下が大声を出した。

「そうだ！」

やつはまだ、四つ角の真ん中にいた。ぼくはきっと、山下にすがるような顔をしていたんじゃないかと思う。なにかを期待して。あともどりしてきた河辺もそうだった。このまま別れてしまうには、なにかが欠けている。

山下は、ふたりに見つめられて、ちょっとどぎまぎしたような顔をしたけれど、すぐに最高のスマイルを見せて言った。

「オレ、もう夜中にトイレにひとりで行けるんだ。こわくないんだ」

ぼくと河辺は一瞬、拍子抜《ひょうしぬ》けしたけれど、その時、山下が叫んだ。

「だってオレたち、あの世に知り合いがいるんだ。それってすごい心強くないか！」

短い沈黙のあと、唐突《とうとつ》に河辺がでかい声で答えた。メガネの奥の目を、いっぱいに開いて、

「だよな——っ!」

そうしてぼくも、夢中でうなずいていた。うなずきながら、あいつの太った背中とかおなかとか、とにかく体じゅうを、思いっきり叩《たた》いてやりたかった。チクショウ、山下、おまえってやつはどうしてそうなんだよ!

山下はすごく満足そうに大きく息を吸うと、くるっと背をむけて「じゃあな!」と走って行ってしまった。

ぼくと河辺はしばらく茫然《ぼうぜん》とその後ろ姿を見送った。それから、河辺の顔を見ると、いつも貧乏ゆすりばっかりしていたやつが、今までいちばん、はればれした顔をしている。心のなかに涼しい風がすうっと吹いて、ぼくは「じゃあな」ともう一度言った。

「また会おうな」

「うん、きっと」

ぼくはふりかえると、全速力で駆けだした。

あとがき

私の祖父《そふ》が亡《な》くなったのは、私が七歳の時でした。母方のおじいちゃんです。生きている時の祖父はお酒が好きで、よく酔《よ》っぱらっていました。コップになみなみとついだ日本酒を、「お水だよ」と言って私に飲ませようとして母から怒られたり、身のまわりにはいっこうに頓着《とんちゃく》しない人だったので、駅までステテコ姿で買い物に行ったりしては、とにかく何でもきちんとしないと気のすまない祖母に大ヒンシュクをかったりしていました。電気技師だった祖父は、黄色や赤いビニールに巻かれた電線をいっぱい持っていて、私によく、その電線に五円玉をたくさんとおして、お小遣《こづか》いとしてくれたものです。でも、どちらかと言うと、厳格な父に育てられた私にとって、お金をそんなふうに、まるでハワイのレイみたいにしてくれたりするのは、なんだか遊びが過ぎるみたいな気がして、ちょっとこわかったのをおぼえています。つまり、祖父はなんとなく、私のまわりの祖母や、父や、実の娘である母とも違う人種という感じで、いつもひとり浮いてしまっていたのでした。そうして私はそんな祖父に、どう接していいのかわからなくて、いつも酔っぱらって、わけのわからない冗談をとばしている祖父を、なんだか近寄りがたいように感じていたのでした。

ある日、祖父が私の家に遊びに来ました。父が会社に行っている留守《るす》に、祖父が母に会いに来るのはしょっちゅうだったので、その日も私は、友だちのところに遊びに出てしまいました。でも、なんだか不安な気持ちにおそわれて、私はちっとも遊びに身が入らず、友だちの家を出て、走って家に帰ったのです。祖父はちょうど帰るところでした。私は祖父の顔を見ると「帰ってはいやだ」と泣きだしました。それまでちっとも祖父になつかなかった私が、いきなりそんなふうに泣くのを見て、祖父はとまどっているようでした。わたしは祖父と初めて手をつなぎ、バス停まで歩いて行きました。その日、祖父はお酒の匂《にお》いがしませんでした。体の具合が悪くて、もう飲めなくなっていたのです。

それから一カ月もたたないうちに、祖父は亡くなりました。私は、あの日バス停での祖父の、いつもとちがって黙りがちで、それでいてうれしそうな顔を思い出すと、どうしてもっと、祖父に甘えたり、祖父の話をきいたり、祖父としっかり関《かか》わっておかなかったのだろうと、ひどく後悔しました。いつもお酒の匂いのする祖父を、心のどこかでうとんじていた自分が、いやでたまらなくなってしまったのです。そうしてだんだんと、祖父のことを忘れるように忘れるようにと、心が自然と働くようになりました。

それから二十年以上たって、私は祖父と同じようなはげ頭の人と出会いました。そうして初めて気づいたのです。「ハゲにもいろいろな種類がある！」その人は、祖父と同じタイプの「はげ方」をしているのです。

人間の記憶はフシギなものです。私のなかに眠っていた祖父の記憶が、どんどんよみがえりだしました。家に来る時、必ずスイカかバナナをさげて遠くから私と母の名前を大きな声でゆっくりと呼びながら、ゆらゆらと歩いてきたその姿や、家の縁の下に住みついていたヘビを見て「ヘビがいる家は、幸運だという。大事にしてやりなさい」とトリ肉を投げてやった時のこと、祖父の首のところにコブがあったこと、そうしてそのコブには「宝物が入っているんだよ」といつも言っては、私の顔をおもしろそうにのぞきこんだ、その目……お酒くさくて、だらしのないステテコ姿のはげた祖父の、いろいろな姿が、私に見えてきたのです。祖父が死んで、二十年以上もたって、ようやく私は祖父を「あの世の知り合い」と言えるようになりました。

この物語を書こうと思いたったのは、忘れようとばかりしていた祖父と、もう一度出会えたからだと思います。私は、祖母の家のいそうろうになって、祖父の仏壇《ぶつだん》の部屋で、この物語を書きました。私はそれまで、仏壇の部屋で眠るのはこわかったのですが、今ではもうそんなことはありません。原稿《げんこう》を書いているあいだ中、夜には布団《ふとん》の中からおじいちゃんの遺《い》影《えい》を見上げて「あしたもがんばるからね」と眠りにつきました。そうしてとてもやさしい、いい夢を見ました。

この物語を、私の祖父に捧《ささ》げます。編集の上村令さん、きびしくはげましてくださったひこ・田中さん、しどろもどろに最初の思いつきを話した私に「書けば」と言ってくれた相米《そうまい》

慎二《しんじ》さん、ほんとうにありがとう。

一九九二年三月

湯本香樹実《ゆもとかずみ》

解説

玖保キリコ

この本を読んで思い出すのは、私が子供の頃《ころ》、心の中に持っていた小宇宙だ。大人になってしまった今から振り返ってみれば、それはまるで、スノー・ボールのような小さい世界である。

しかし、当時の私にしてみれば、大人の目から見えるその小さな世界しか、世界というものを知らず、その中でじたばたしていたのである。

家と学校とその周辺のごく狭い世界。

何か嫌《いや》なことがあったときの居心地は、すこぶる悪い。

この本にはあまり関係ないが、いじめだとか、登校拒否だとかのニュースを見たり聞いたりするたびに、転校すればいいのにとか学校に行かなくても長い目で見れば大したことないのにとか、無責任に考えてしまう傾向が私にはある。

でもそのあとで、当人にしてみればその中でしか自分の人生は回っていず、学校に行かないということは、その世界をさらに小さく閉じたものにすることであり、学校を替えるとい

うことは、また新しい世界を一から作っていかなくてはならないということなのだなと思い直す。

どっちにしても当人にとっては大変なことであり、相当な覚悟と勇気がいるはずだ。

そういうときに、私自身は子供の頃からそんなに内面は変化していないつもりでも、実は「大人」になってしまっているということを思い知らされるのである。

木山《きやま》、山下、河辺《かわべ》の三人の少年もそんな小さな世界で生きている小学生であり、彼らは子供なりにそれぞれの問題を抱えている。

木山の家は母と父の間が何かぎくしゃくしていて、母親はアルコールに逃げているし、山下は、父親の仕事をあまり認めていない母親に、尻《しり》を叩《たた》かれているようである。

河辺は河辺で、母親と二人暮しで、どうやら父親に別の女性ができて離婚しているという感じで、それゆえ、母親からその辺の恨み言をじくじく聞かされて育ってきたようである。

彼らはその中に巻き込まれていながらも、「子供」という立場であるが故《ゆえ》に、あまりその問題に対しての発言権はないのである。

彼らは状況をただ見守るだけであり、愚痴とも付かないような話を聞くだけである。

具体的には何もすることができないのだ。

でも、この夏は、彼らにとっていつもの夏とは違ったものになったはずだ。

興味半分のおじいさんとの付き合いは、ただの見張る人と見張られる人の関係から不思議

な友情に変わっていってしまう。

きっと、彼らにとっておじいさんとの付き合いは、初めての大人との友達づきあいだったんだろうと思う。

世話されるとか保護されるとかではない対等な付き合いである。

「死ぬ」ということに対する好奇心から始まった彼らの付き合いは、その「死ぬ」ということで終わる。

彼らは、最初に望んでいたように老人の「死」を発見することになるのだが、それは期待していたようなどきどきわくわくするものではなかった。

初めて体験する身近な人の「死」に対する思いもよらなかった悲しみである。

何故《なぜ》、さっきまで生きていた者が次の瞬間に死んでしまうのか。

死ぬ前の瞬間と死んだ後の瞬間では息をしていないとか、心臓が動いていないという以外に一体どこがどう違うというのか。

何故、死ぬのが明日とかあさってではいけなかったのか。

人間は大けがをしても生きているほどしぶといところもあるのに、何故、眠っているかのように見えるその身体《からだ》からはもう魂が抜けてしまっているのか。

悲しい以上に納得できないとても素朴《そぼく》な疑問がどんどん湧《わ》き上ってくるのだ。

そのとき初めて、私たちは頭では「死」というものを理解していたつもりでも、実は全然

理解なんかしていなかったことに気が付くのである。

しかし、その悲しみ以上に、彼らはおじいさんとの付き合いの中で貴重なものを得ている。洗濯《せんたく》ロープの貼《は》り方、包丁の使い方や、ペンキの塗り方、庭の作り方、etc。そして、ものの考え方。

おじいさんは彼らにああしろこうしろというわけではなかったが、おじいさんの人生に関《かか》わったことによって、今まで子供の生活にはなかったことを経験していくのである。

今まで自分だけで考えて煮詰っていたことでも、おじいさんだったらなんて言うだろうかと、視点を変えて考えるということを学ぶのである。

その視点を摑《つか》むことで、彼らは確実に今までの小さなスノー・ボールから抜け出して、冷静にそのスノー・ボールを見つめることができたのである。

確かにこのとき彼らは「大人」になったのである。

彼らの子供時代はおじいさんの夏の庭とともに永遠に葬《ほうむ》り去られてしまった。

この夏の終わりが彼らの子供時代の終わりでもあった。

彼らはそれぞれ、別の学校、別の土地で、新しい生活を始めることになるであろう。

もしかしたらこのあと、この三人はもう会うことがないかもしれない。

それでも、大人になって彼らがおじいさんになってしまっても、庭いっぱいのコスモスを忘れることはないだろうなと思う。

と、至極真面目《まじめ》に子供の「小宇宙」とか「死」とか書いてみたが、私が湯本さんのすごいと思うところは、サッカーしている下級生がぼけっと鼻くそをほじくっているとか、目医者さんに行って、弱いおじいさんには怒鳴るのに、母親と来ている自分にはにこにこしている医師に対して嫌な気持がしたとかの、細かい描写である。

この細部にわたる一見本筋とはあまり関係ないように見えるこれらの描写が、一つ一つの状況を私たちの脳裏に鮮明に焼き付け、主役から脇役《わきやく》に至るまで、それぞれのキャラクターをいきいきと形造っているのである。

お見事！　と言うしかない。

実は私は映画になった「夏の庭」を試写で見てからこの本を読ませていただいたのだが、三人の少年があまりにも映画のとおりだったのでびっくりしてしまった。

（平成六年一月、漫画家）

この作品は平成四年五月福武書店より刊行された。

新潮文庫最新刊

吉本ばなな著　**とかげ**

私のプロポーズに対して、長い沈黙の後とかげは言った。「秘密があるの」。ゆるやかな癒しの時間が流れる6編のショート・ストーリー。

原田宗典著　**こんなものを買った**

憧れのマスクメロン、優越のブルーマウンテン、衝動買いのケムール人。生活必需品からB級グッズまで押さえた買い物エッセイ。

江國香織著　**つめたいよるに**

愛犬の死の翌日、一人の少年と巡り合った女の子の不思議な一日を描く「デューク」、デビュー作「桃子」など、21編を収録した短編集。

池澤夏樹著　**マシアス・ギリの失脚**　谷崎潤一郎賞受賞

のどかな南洋の島国の独裁者を、島人たちの噂でも巫女の霊力でもない不思議な力が包み込む。物語に浸る楽しみに満ちた傑作長編。

鈴木光司著　**光射す海**

恋人たちの宿命的な問題。日常の裂け目から生じる危うい関係。すべての運命を操る遺伝子の罠。気鋭の作家が描く新しいミステリー。

辻　仁成著　**グラスウールの城**

デジタルサウンドが支配する世界で、自分を見失ったディレクターの心に響く音とは？孤独を抱え癒しを求める青年を描く小説二編。

W9-DDM-399

夏《なつ》の庭《にわ》

—The Friends—

新潮文庫　ゆ－6－1

平成六年二月二十五日　発行
平成八年五月三十日　八刷

著者　湯《ゆ》本《もと》香《か》樹《ず》実《み》

発行者　佐藤亮一

発行所　株式会社 新潮社

郵便番号　一六二
東京都新宿区矢来町七一
電話　編集部（〇三）三二六六―五四四〇
読者係（〇三）三二六六―五一一一
振替　〇〇一四〇―五―八〇八

価格はカバーに表示してあります。

乱丁・落丁本は、ご面倒ですが小社読者係宛ご送付ください。送料小社負担にてお取替えいたします。

印刷・錦明印刷株式会社　製本・錦明印刷株式会社

© Kazumi Yumoto 1992 Printed in Japan

ISBN4-10-131511-6 C0193